BEETHOVEN

andré boucourechliev

© Éditions du Seuil. 1963. Toute reproduction interdite y compris par microfilm. ISBN 2-02-000243-4

solfèges/seuil

Esprit moderne

e tous les créateurs dont les chefs-d'œuvre
défient le temps et modèlent le visage de notre civilisation,
Beethoven est sans doute celui que chacun de nous a recréé
pour son propre compte avec le sentiment de la plus absolue
certitude. Universellement reconnu dans l'évidence de son
génie et de sa grandeur morale, il appartient à tous, et à chacun
diversement. Son œuvre livre à chacun un message particulier,
un secret propre, et l'homme lui-même exalte une idée, une
mesure de l'homme exemplaires. Au-delà du musicien, Beethoven est devenu un symbole, ou mille symboles exaltants,
exaltés, contradictoires. Tradition et révolution, justice et
oppression, volonté et désespoir, solitude, fraternité, joie,
renoncement ont élu comme signe ce même homme, cette
musique. Toutes les idéologies, toutes les morales, toutes les
esthétiques lui ont dressé leurs monuments, lui ont dédié
leurs épigraphes, consacré leurs ouvrages savants. Le moindre
mot de l'artiste a été objet de glose, ses moindres actions,
traits de caractère, sautes d'humeur, thèmes musicaux
ou même intervalles entre deux notes, ont été commentés, inter-
prétés, appropriés – rattachés à jamais à quelque catégorie spirituelle immuable. Dès lors, un nouveau profil de Beethoven,

une nouvelle interprétation, une de plus, de son message, n'est-ce pas une tentative insensée ? Il serait vain de chercher à rallier, autour de quelque nouvelle image, une unanimité impossible : Beethoven, déjà, les détient toutes. Autour de ce monstre sacré, plus d'interrogations possibles, semble-t-il, plus de nouvelles découvertes ; les jeux sont faits, définitivement. Et pourtant...

La musique n'est pas une *chose*. A travers les siècles, l'œuvre chemine dans la conscience d'hommes, de sociétés, de sensibilités collectives en constante métamorphose, et se métamorphose elle-même, se découvre nouvelle sans cesse, dévoile ses multiples faces cachées – ou meurt. Plus que toute autre, l'œuvre de Beethoven possède le don de la migration perpétuelle, et rend un sens au mot galvaudé d' « immortelle ». Ce privilège est celui de l'esprit moderne.

Il n'y aurait certes plus rien à dire d'un Beethoven arrêté dans le temps, classé par l'histoire, annexé à telle catégorie esthétique ou éthique. C'est parce que l'œuvre de Beethoven est mouvante, renouvelée dans la conscience de générations successives, promise par la nature de son esprit à une incessante actualité, qu'elle justifie l'interrogation renouvelée, exige même que chaque génération se penche sur elle, avec la sensibilité qui lui est propre et ses propres instruments d'investigation, pour tenter de témoigner des richesses qu'elle y découvre. L'hommage seul est insuffisant. Constater Beethoven... Constater le génie est facile – génie devenu familier, comme un portrait, fût-il du plus grand ancêtre, et que l'on ne remarque presque plus. Non : Beethoven n'est pas cette « valeur sûre ». Beethoven est pour nous, pour vous, pour moi, un perpétuel inconnu. Seul l'étonnement profond, renouvelé, peut être le point de départ d'une tentative d'approche nouvelle. Faire partager cet étonnement de tous les instants face à la musique de Beethoven est notre unique ambition.

Qui est Ludwig van Beethoven ? Nous croyons le savoir : l'histoire de sa vie et de son époque, ses notes en marge des partitions, ses carnets intimes, sa correspondance et les innombrables témoignages de ses contemporains ne nous l'apprennent-ils pas ? Cette image de l'homme, nous l'invoquons pour mieux comprendre l'œuvre, éclairer ses plus obscurs messages ; elle nous fournit les arguments – inépuisables, toujours plausibles – de nos interprétations même les plus contradictoires. Et à son tour l'œuvre l'éclaire, la confirme et la complète.

4

Mais dans quelle mesure l'œuvre, « image de l'homme », doit-elle succéder, dans notre quête, à l'homme lui-même ? Ces voix que l'homme fait entendre dans son œuvre – ces accents du drame, de l'héroïsme, de la volonté, de la joie – ne sont-ce pas elles qui, tout autant que les faits, les témoignages et les portraits, sont notre idée même de l'homme, la source première de sa connaissance ? Pourquoi, du reste, étudions-nous la vie des hommes illustres, si ce n'est à cause de leurs œuvres, pour poursuivre et approfondir cette idée d'un homme créée par les œuvres, qui déjà nous obsède et toujours nous dépasse ?

Certes la *Symphonie héroïque* n'aurait pas été ce qu'elle est – n'aurait pas existé – si l'homme qui la créa n'avait pas été celui-là. Mais qui fut-il ? C'est l'*Héroïque* qui nous l'a appris, et toutes les Symphonies, et toutes les œuvres, tout autant que la biographie, le portrait par Waldmüller, le testament d'Heiligenstadt. Il semble justifié, dès lors, d'interroger la vie de l'artiste *après* avoir interrogé son œuvre. Dans la musique de Beethoven se dessine déjà son visage – celui qu'il a voulu, qu'il a lui-même modelé, visage d'un homme tel qu'en lui-même l'œuvre le change.

Qui est, alors, Beethoven ? Et qui répondra, ici, à cette interrogation ? Est-ce « l'auteur », oracle patenté, détenteur de vérités ? Non pas : vie et œuvre, œuvre et vie, c'est en chacun de nous que s'opère la fusion de cette double présence de l'artiste. C'est dans la seule confrontation personnelle de ses aspects que peut surgir une vision du créateur. Aspects indissociables – mais en chacun de nous, seul : à chacun, opérateur d'une synthèse mouvante et sans cesse recommencée, de faire surgir cet univers désigné sous le nom de Beethoven.

Jamais œuvre ne reposa sur une plus grande inquiétude que l'œuvre de Beethoven. Jamais esprit créateur ne fut moins satisfait, moins prudent, moins soumis. Dépassant le doute par la vision de l'œuvre à venir, sa seule – et provisoire – certitude, retrouvant presqu'aussitôt le doute, Beethoven joue à chaque fois l'acquis, le remet en question, risque le tout pour le tout. Chaque geste semble prendre sa source dans l'interrogation, chaque œuvre est, à divers degrés, à différents niveaux, une recherche. Dès lors tout acte créateur semble *inventer* à nouveau le langage lui-même – et l'épuiser. Comme si la Musique, avec chaque œuvre, renaissait dans l'instant...

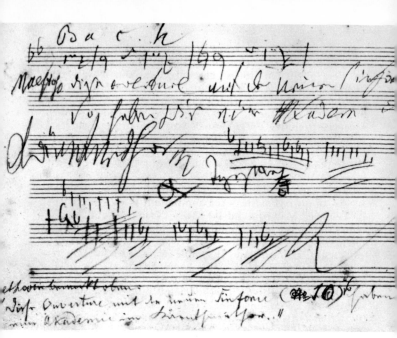

L'une des dernières esquisses de Beethoven (thème de B.A.C.H.)

Nul compositeur n'a laissé autant de cahiers d'esquisses que Beethoven, témoignages d'un état de veille permanent. L'aventure qu'est toute œuvre pour lui s'y révèle à l'état naissant. Dix, vingt tentatives (*melieur*, note-t-il souvent en marge, dans son français à lui) approchent, péniblement parfois, ses œuvres les plus inspirées, jaillies, semble-t-il, d'un seul jet. Un cahier entier est plus d'une fois consacré à une seule structure, à un seul thème dont il essaye le comportement sur un plus long parcours, et dont la version définitive doit contenir les ressources d'innombrables développements virtuels, faire face au prévisible d'une conception d'ensemble et à l'imprévisible d'une imagination instantanée. Cet esprit de recherche, si évident dans la genèse des œuvres, les œuvres elles-mêmes l'incarnent dans son aboutissement. Il n'est pas, d'ailleurs, le privilège de la dernière époque créatrice de Beethoven, la plus spectaculaire à cet égard, où naissent des formes, des conceptions de la musique totalement nouvelles. Dès les premières Sonates, les premiers Quatuors les fondements mêmes du langage musical sont mis en mouvement, ses éléments appelés à des fonctions nouvelles. Continue dans son ensemble, et en même temps discontinue d'une œuvre à l'autre, l'évolution de Beethoven se poursuit dans tous les domaines selon des cheminements irréductibles à la classification stricte. Chaque œuvre, chaque phase créatrice du compositeur témoigne de sa modernité à des niveaux divers, sous des aspects spécifiques. Dès lors, la division rigide de la vie créatrice de Beethoven en trois ou deux ou quatre périodes s'avère, à moins de réserves sérieuses, aussi arbitraire que stérile. Que les dernières œuvres de Beethoven soient très différentes des premières, que tel *Quatuor* de l'*op. 59* soit d'une conception et d'une écriture autres que telle *Sonate* de l'*op. 2* ou de l'*op. 102*, est évident. Que la métamorphose constante de la rhétorique beethovenienne permette de distinguer dans l'ensemble de l'œuvre plusieurs phases stylistiques – comment et pourquoi en arrêter le nombre et les frontières ? – n'est pas en discussion. Mais ce n'est qu'au sein de la *constante* de l'esprit moderne, qui éclate dans toute l'œuvre de Beethoven et lui confère son unité, que l'on peut définir les mutations d'un style ; et il faut insister sur les liens et les rappels, les préfigurations et les apparentements qui, d'une œuvre à l'autre, structurent une personnalité musicale indivisible. Les frontières impénétrables tracées « à l'œuvre près » dans sa production sont d'autant plus fallacieuses qu'elles impliquent le plus souvent une notion sommaire de progrès, notion bien trompeuse en art. Il en va ainsi des formules les plus célèbres – les plus absurdes – comme « l'Enfant – l'Homme – le Dieu » selon Liszt, ou les « périodes d'imitation – de transition – de réflexion » selon Vincent d'Indy, et autres triptyques du même genre.

« Inclassable » à l'intérieur de sa propre œuvre, Beethoven l'est également à l'intérieur des catégories historiques : son œuvre les dépasse, les défie, refuse de s'y laisser enfermer. Est-il classique ou romantique ? Ce dilemme traditionnel vient jusqu'à nos jours encore s'interposer entre Beethoven et nous, obscurcir, en tentant de l'annexer coûte que coûte à une thèse, sa poétique et son message. Peut-être à tel ou tel moment, au long des cent cinquante années au cours desquelles Beethoven a séjourné dans les musées imaginaires de chaque époque, cheminé dans des sensibilités en évolution, a-t-il été « romantique », « classique », « romantique » encore.

Mais en son temps même Beethoven semble déjà défier, survoler l'alternative. Du romantisme il dépasse le culte du « moi », l'exaltation, la contemplation, l'investigation de la personne propre. Quoi qu'on en ait dit, Beethoven ne s'attarde que fort peu sur lui-même, ne cherche point dans son propre personnage la source de son inspiration ; il ne se « confesse » pas, individu devenu centre du monde, mais parle au nom de tous : au particulier il substitue le général, au personnel l'universel, et à la contemplation passive – l'action. Mais dans un langage, dans des formes qui, eux, sont personnels – uniques. Ainsi, cette musique qui s'élève au-dessus du « moi » romantique, s'inscrit en faux, également, contre les structures classiques, et ce, dès les premières œuvres. D'emblée elle tend à refondre ses lignes de force, à faire éclater les schèmes hérités. Classique ou romantique ? A la jonction de deux univers spirituels, elle leur est irréductible à l'un comme à l'autre. Elle échappe à l'histoire : infiniment singulière, perpétuellement au présent, la musique de Beethoven est *moderne*.

Comment tenter de l'approcher, alors ? Dépassant toute classification, la musique de Beethoven dépasse également les méthodes traditionnelles d'investigation, les classiques aussi bien que les romantiques. Le plus analysé des musiciens apparaît comme le plus inanalysable. Appliquée à Beethoven, l'analyse musicale scolaire se révèle plus que jamais impuissante à rendre compte d'une réalité. Elle parvient à décrire, de l'extérieur, les éléments constituants d'une œuvre, mais en privant celle-ci de vie ; elle démonte un organisme musical, mais en sacrifiant ce qui précisément fait sa nature irremplaçable ; elle rapporte les éléments dissociés de l'œuvre à une théorie, à une échelle de valeurs abstraites ; or seule l'œuvre elle-même, être singulier, confère à ces éléments une existence spécifique ; elle est leur seule référence vraie. Nous décrire par rapport à un modèle abstrait les éléments disloqués d'un corps sans vie, les « constater » comme on constate un décès, c'est en réalité dresser un écran de plus entre l'œuvre et nous. A l'égard de Beethoven, dont la modernité se découvre moins dans les éléments de son langage considérés séparément, que dans leur mise en œuvre, dans leurs fonctions au sein de structures musicales nouvelles, ce type de démarche est particulièrement fallacieux. Rien d'étonnant, dès lors, à ce que l'on ait pu se servir de l'analyse traditionnelle pour justifier les représentations de Beethoven les plus éloignées de la réalité, et les plus contradictoires, aussi tendancieuses que celles d'un Vincent d'Indy, par exemple, qui le décrit – et le « prouve » par l'analyse – comme « gardien de la tradition », conformiste par nature, dont les quelques égarements confirmeraient plutôt l'amour de la Règle et des Institutions.

Tout aussi insatisfaisante que l'analyse musicale scolaire, qui se veut objective, est l'analyse subjective qui se fonde sur les émotions, associations, images que l'œuvre suscite en son commentateur. Si l'on décrit par la première méthode, l'on se décrit avec la seconde ; le pouvoir de conviction dépend ici de l'éloquence, de la sensibilité, de l'imagination de l'interprète et n'engage, dans ses réussites poétiques ou ses irrévérencieuses gratuités, que la seule responsabilité du commentateur. Mais le temps est révolu où l'on demandait aux oracles patentés d'expliquer au nom de tous le sens d'une œuvre, de « traduire » son message. Laissons donc à chacun la liberté et la pureté du dialogue avec l'œuvre dans ce qu'elle suscite d'unique en notre univers émotionnel. Nous ne chercherons – nous n'en avons ni la prétention ni le droit – à imposer aucune « version », aucune « clef » d'une œuvre, à la place de Beethoven – et à la vôtre.

Il faut donc retourner aux œuvres elles-mêmes. En les abordant dans leur réalité sensible, approcher autant que possible le langage du musicien dans ses structures vivantes, tenter de dégager ses lignes de force, ses pouvoirs nouveaux d'ordonner le temps. Périlleuse entreprise...

Écouter la musique est une aventure. Épreuve de force, affrontement dont le déroulement et les conclusions sont incertains, telle est la rencontre de l'auditeur et de l'œuvre qui résonne. Écouter n'est pas subir, mais agir : se confronter incessamment à cet autre univers. Aimer telle œuvre veut dire, finalement, que la confrontation a été positive, c'est le signe, la révélation d'une concordance profonde entre deux actions. Dès lors, c'est à partir de l'œuvre telle qu'elle est perçue, vivante, qu'une tentative peut avoir quelque chance sinon de saisir pleinement la nature de la musique beethovenienne, tout au moins de l'interroger sur le vif. De cette écoute créatrice, inquiète, ouverte à l'étonnement, nous ne pouvons être, quant à nous, qu'un médiateur – un musicien d'aujourd'hui fasciné par la rencontre de l'auditeur moderne avec l'esprit moderne de Beethoven.

Lignes de force

É coutez une œuvre de Beethoven – une Symphonie, une Sonate – une de celles que l'on connaît par cœur. Mais arrêtez-vous un instant, avant de poser le disque, évoquez un instant la trace si familière de l'œuvre dans votre souvenir. Un mouvement irrésistible s'est immédiatement déclenché : sur quoi s'appuie-t-il, quelles sont les forces qui portent en avant votre écoute intérieure ? Inextricablement, de multiples puissances s'affrontent et convergent dans cet univers, se croisent et s'entrecroisent. Aucune ne domine les autres, ne s'arroge le privilège exclusif d'être l'image du devenir, ne vient prendre en charge votre mémoire d'une façon constante et sûre. Nulle ligne merveilleusement claire et ciselée, comme dans la musique de Mozart, ne s'impose à vous, ne vous guide à travers le temps comme un fil d'Ariane. A peine reconnu dans ce torrent de forces multiples, un fragment mélodique éclate en molécules dispersées dans les registres les plus extrêmes, ou se transforme en pulsations rythmiques, ou disparaît, envahi par quelque crescendo venu des profondeurs, ou fusionne en une seule masse sonore, ou encore s'abolit dans un silence brutal. Vivre cet univers à travers l'une de ses dimensions n'est pas

Dans la maison natale à Bonn

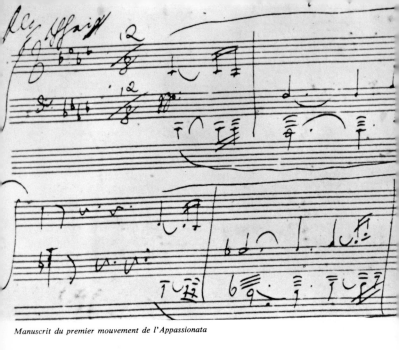

Manuscrit du premier mouvement de l'Appassionata

possible. Un élément mélodique par exemple, même de la plus significative beauté, ne peut plus se suffire à lui-même : et vous ne pouvez « fredonner » Beethoven qu'au regard de tout ce que votre écoute intérieure déroule en même temps et sous-entend sans cesse. C'est tout entier que cet univers est présent en vous, *il vous le faut* tout entier, avec ses volumes et ses poids, dans toute l'étendue de son immense registre, avec ses nuances mouvantes et ses contrastes brutaux, ses explosions rythmiques, ses mélodies, ses couleurs, ses silences. Pour donner corps à ce que vous entendez intérieurement, il vous faut, en vérité, non seulement « fredonner » mais frapper du poing et du pied, gronder, imiter des instruments et faire des gestes – agir avec tout votre corps, mimer cette musique, comme Beethoven lui-même, au dire de ceux qui l'ont vu, lorsque l'œuvre en train de naître prenait possession de lui.

Tel est ce nouveau langage : ses éléments, soumis aux ordonnances de l'harmonie, n'y sont cependant plus hiérarchisés d'une façon immuable, stratifiés en principaux et secondaires une fois pour toutes. Désormais toutes les lignes de force peuvent s'affronter à toutes, elles agissent et réagissent les

unes sur les autres avec une autonomie et une virulence décuplées. Essayons de les saisir en pleine action – dans une œuvre.

... Un disque tourne maintenant : disons, la *Sonate op. 57, Appassionata*. Voici le premier thème de l'*Allegro*. Qu'est-ce qu'un thème, tel que le conçoit et nous le donne à entendre Beethoven ? Est-ce, classique, un visage musical définitif, reconnaissable, fidèle à lui-même ? Il peut être cela, mais il est autre chose encore : une situation fondamentale, une fonction essentielle qui prendra mille aspects, s'incarnera en mille visages dont il est l'expression la plus générale et qu'il recèle à l'état latent. Le thème beethovenien exprime avant tout un type d'action, il est le point cardinal de ses voies profondes. Celui de l'*Appassionata*, l'expectative perpétuelle.

Visage, le premier thème de l'*Allegro* l'est par son ordonnance rythmique qui, sur l'anonymat de l'accord de fa mineur déployé, grave ses traits particuliers. Mais la fonction du thème, et son action essentielle sur celui qui l'écoute, dépassent en même temps cet aspect : une stabilité, une certitude

– l'accord de fa mineur – s'affirment, pour être aussitôt mis en doute, par le caractère irrésolu de l'accord de dominante – et du silence sur lequel vous restez suspendu... Vous voici pris d'emblée dans ce temps à perpétuel « suspense ». C'est la nature même de l'œuvre qui s'y exprime, au niveau le plus simple et le plus général – interrogation toujours renouvelée.

Or cette relation harmonique élémentaire est loin de définir à elle seule le rôle du thème. Autant que la tonalité mineure et son affirmation constamment suspendue, autant que les oppositions rythmiques et les silences, agit la *sonorité* du thème, sombre, opaque, et sa trajectoire ascensionnelle vers la lumière, et ses retours constants vers l'ombre. Le thème, c'est aussi le timbre qui. avec Beethoven, accède à une autonomie et une puissance singulières. Avec quelle précision Beethoven manie ce terme moderne du langage, avec quelle intuition proprement acoustique il élabore sa matière sonore et la met musicalement en œuvre, toute sa création en témoigne : et nous aurons à faire justice, exemples à l'appui, des affirmations encore en cours sur les « défaillances » instrumentales du « grand sourd ».

L'alliage de l'extrême-grave et du registre médian de l'instrument, et surtout l'écart de deux octaves entre les deux lignes parallèles, ce creux qui est entre elles, créent précisément la sonorité fantomatique, lourde de présages, qu'exige Beethoven. Le climat dramatique de l'œuvre est élaboré jusque dans l'aspect physique des sons ; le timbre devient une vraie fonction musicale, une ligne de force aussi importante que les autres. Quelles autres ? Notre écoute de l'œuvre nous les révèle, inséparables, et découvre leurs rôles particuliers.

Treize mesures viennent de s'écouler *pianissimo*. (Un nouveau motif, « qui rappelle la *Cinquième Symphonie* » (a), s'est fait entendre : nouveau d'aspect, mais non de fonction, car il exprime – d'une autre manière – l'idée fondamentale, la suspension interrogative.)

Au moment même où l'intensité sonore atteint presque son degré zéro, se confond presque avec le silence, soudain

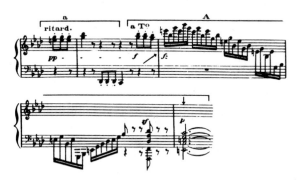

Beethoven déchaîne un trait fulgurant qui fend la trame comme d'un coup de couteau, et qui disparaît aussi brutalement qu'il est apparu. Quel est son rôle ?

Jusqu'à Beethoven, *l'intensité* est presque totalement assujettie à la fonction harmonique, elle « va de soi » en quelque sorte. Un Bach ne l'indique jamais, ne précise que très rarement des oppositions fondamentales de *piano* et de *forte* ; Mozart lui donne une bien plus grande autonomie : mais c'est Beethoven qui en fait une véritable dimension du langage, une des lignes de force primordiales de son expression, capable de l'orienter totalement dans tel ou tel sens. Dans l'exemple de l'*Appassionata*, elle affirme son autonomie : on pourrait s'attendre, en effet, à ce que cette explosion atteigne sur la dominante, sur le « temps fort » et la durée longue sur lesquels elle aboutit, son point culminant ; or c'est là, précisément, qu'elle disparaît... (↓) Aux hiérarchies préétablies d'un langage s'oppose l'intervention d'une volonté.

A plus d'un égard ce trait est remarquable : car que représente encore, telle que nous l'entendons, cette gerbe sonore ? Nouvel aspect de la fonction du thème, elle se rattache plus directement au court motif qui la précède, en constitue comme un violent commentaire : *A* est la projection de *a*. Mais ce genre de configurations, ou *groupes* comme on les appellerait aujourd'hui, ne se définissent point « note à note », ni par leur seul aspect harmonique : ils agissent comme des ensembles, définis par des critères généraux d'intensité, de poids, de vitesse. Ce sont des blocs sonores pulvérisés dans le temps, des « densités de temps », qui pèsent et qui agissent - alors que naguère l'analyse traditionnelle, après les avoir identifiés harmoniquement, les aurait qualifiés, à court d'autres concepts, de « passages »...

Un autre visage du thème va maintenant apparaître, nouvelle transmutation, déclenchement spectaculaire d'une nouvelle ligne de force beethovenienne : la masse.

La théorie classique n'en tient pas davantage compte : un accord ne s'y définit qu'harmoniquement, qu'il soit composé de trois sons ou de dix. Cependant l'élément masse, le « poids » d'un événement est, dans le langage de Beethoven, un élément d'une importance telle que toute analyse qui n'en tient pas compte est faussée au départ. Car la perception, elle, en tient compte ! Chaque événement, chaque rapport sonore dans la musique de Beethoven, possède son poids spécifique. Bien entendu, ces poids, ces intensités ne sont pas des « quantités » une fois qu'elles sont mises en œuvre dans une structure musicale. Celle-ci, perçue par l'auditeur, est essentiellement *qualité*, irréductible dès lors à une évaluation ou représentation quantitative. Et lorsque nous disons par exemple « contraste entre pianissimo et fortissimo » ou « entre masse orchestrale et instrument soliste », nous sous-entendons toujours cette métamorphose de quantités en qualités irréductibles, qui s'opère dans l'écoute musicale.

L'opposition de masses qui a pris possession de notre *Appassionata* est d'autant plus agissante que le compositeur l'avait jusqu'ici volontairement exclue. Mais déjà se prépare une nouvelle transmutation d'éléments. Ecoutez cette longue transition qui conduit vers le ton relatif de l'allegro, la bémol majeur (celui du « second thème »). Qu'est-ce que cette pulsation inlassable d'un seul son – un mi bémol ? C'est évidemment la dominante du la bémol majeur qui va tout à l'heure se déclarer ; mais bien autre chose encore : un caractère sonore, un timbre. C'est la fréquence de pulsation du son, son intensité et son égalité qui créent ici la qualité spécifique du temps, sa texture. Car nous n'entendons pas simplement un certain nombre de « mi bémols » répétés, mais *un seul son* modulé, d'une certaine qualité. Et c'est d'ailleurs ainsi que nous nous souviendrons de ce passage - comme d'un état sonore impalpable, que nous chercherons à traduire par des mots comme « cristallin », « fluide », « aérien ». Ceux qui ont joué l'*Appassionata* savent, quant à eux, quelle absolue égalité de l'attaque exige ce passage : la moindre défaillance détruit sa raison d'être.

Au-dessus de cette matière palpitante, une minuscule cellule rythmique jaillit comme une étincelle, et trois fois rebondit en trois régions différentes du clavier. Nous sommes ici à l'intérieur d'une structure musicale extrêmement fine – écoutez-la attentivement se déplacer d'octave en octave. C'est le changement de *registre* qui est chargé ici d'assumer le devenir, de créer le renouvellement, cependant que le mi bémol répété acquiert un sens de référence dans l'espace, comme une ligne d'horizon immobile au centre, qui départage le « haut » et le « bas »... C'est bien avec Beethoven que cette notion de haut, de bas, de milieu – et le fait de passer de l'un à l'autre – devient une véritable dimension musicale. Dans la musique de Bach, un mi est essentiellement un mi où qu'il se trouve, dans la pureté de sa seule fonction harmonique. Pour un Mozart, en revanche, le registre – la position d'un événement dans l'étendue sonore – est déjà un élément musical puissant et autonome. Mais c'est encore Beethoven qui en fait un terme de langage courant, le met en œuvre de la façon la plus raffinée ou la plus spectaculaire.

A présent c'est la ligne d'horizon elle-même qui se déplace, descend vers le registre grave, prépare une nouvelle métamorphose. Et voici le second thème, directement issu du premier (il en maintient et les valeurs rythmiques et les intervalles mêmes, renversés. Mais il s'incarne en un « nouvel » élément : mélodie dans le plein sens du terme, il se définit essentiellement dans sa trajectoire linéaire. Dans la concentration de ses rapports immédiats d'intervalles et de durées réside son sens expressif et sa beauté. Belle découverte, dira-t-on : la mélodie n'est-elle pas la dimension fondamentale de la musique occidentale ? Avec Beethoven elle devient *une* dimension parmi d'autres. Si dans sa musique elle trouve certaines de ses plus belles incarnations, elle cesse de commander hiérarchiquement tous les autres éléments, elle n'est plus la voie privilégiée de la communication. Dès les premières œuvres de Beethoven, elle entre en état de crise et tend à restituer, pour ainsi dire, à la trame musicale tout entière, à toutes les lignes de force, les privilèges qu'elle avait provisoirement cristallisés [1].

Ligne de force parmi d'autres, dimension expressive particulière et non universelle, la dimension mélodique s'affirme avec d'autant plus de puissance dans l'œuvre de Beethoven là où elle est nécessaire, là où le devenir musical l'appelle inéluctablement. Ayant agi, elle se métamorphose. Ainsi le second thème de l'*Appassionata*, aussitôt épanoui, se dissout. Le disloquent tour à tour un soudain accent d'intensité, une chaîne de trilles, enfin une longue courbe qui chute lentement de l'aigu au grave, qui efface, abolit. Sans couleur, sans intensité, elle est comme un aspect du silence. Ainsi l'absence d'événement – un devenir réduit au minimum – peut aussi, comme ce pianissimo immobile, bloqué, constituer une sorte de dimension musicale. D'autant plus violente sera pour nous l'explosion qui va suivre...

... Nous vous laissons poursuivre cette écoute. Plus spectaculaire encore que dans cette page liminaire est l'affrontement des lignes de force au cours du grandiose développement, entamé – fait nouveau – sans répétition de la première partie. La « reprise » elle-même, qui suit ce développement, est transfigurée – et nous parlerons plus loin de ces subtiles modifications du passé lors de son retour dans le présent,

1. Faut-il déplorer cette mutation de pouvoirs ? Stravinsky, par exemple, reproche à Beethoven de n'être pas un « mélodiste » et lui cite en exemple... Bellini : « Au moment où Beethoven léguait au monde des richesses dues en partie à ce refus du don mélodique, un autre compositeur, dont les mérites n'ont jamais été égalés à ceux du maître de Bonn, semait à tous vents, avec une infatigable profusion, des mélodies magnifiques... » Mais il ajoute : « Ce n'est d'ailleurs pas une raison pour se laisser obnubiler par [la mélodie] au point d'en perdre l'équilibre et d'oublier que l'art musical nous parle par un ensemble [...] Si la mélodie était toute la musique, que pourrions-nous donc apprécier parmi les forces qui composent l'œuvre immense de Beethoven et dont la mélodie est assurément la moindre ? » (*Poétique musicale*.)

où le souvenir lui-même est comme rédigé à nouveau. Guettez, ou plutôt laissez-vous surprendre par ce qui advient à l'issue de cette illusoire reprise, au seuil de la conclusion de l'*Allegro*. Le temps semble presque totalement arrêté, tout est bloqué, immobile, suspendu dans le vide. Le présent est comme aboli, il n'y a plus qu'une idée d'avenir, incertaine. A cet instant extrême de l'attente éclate enfin l'affirmation si longtemps refusée. Un faisceau de forces concertées jaillit

– cadence qui ferme le cycle. C'est alors, pour la dernière étape du mouvement, que Beethoven fait surgir une nouvelle arme – le changement de tempo. Comme si le compositeur voulait donner à des éléments ayant atteint les limites de leur puissance d'action, une virulence nouvelle en les plongeant dans une condition neuve du temps. Au sein d'un tempo presque dédoublé, fonctions harmoniques, durées, accents, masses, registres, éléments mélodiques, mouvements d'intensité atteignent une tension extrême, une irrésistible force de pression. Et c'est encore l'imprévisible qui clôt l'*Allegro* : non pas quelque accord sur un point culminant, mais la lente chute d'un immense son mouvant, vers l'extrême grave, l'ombre et l'immobilité, où il s'abolit.

Si le génie demeure irréductible aux investigations – quelle est celle qui peut prétendre « l'expliquer » ? – est-il voué, pour cela, à la contemplation passive ? Entre la pieuse hypnose et l'état de veille, le choix de l'homme moderne est clair. Si la communication avec l'œuvre n'est pas une évasion mais une action, n'est pas une contemplation muette mais un dialogue, moins que toute autre la musique de Beethoven ne se laisse *subir* : elle appelle notre constante réponse, notre riposte. Tenter de nommer les lignes de force de cet affrontement, telle était la raison de cette écoute liminaire.

Nouveaux chemins

rès tôt Beethoven est seul, trace seul sa voie.
Dès les premières œuvres qu'il reconnaît dignes d'être quali-
fiées d'*opus*, éclate la nature profonde de son génie : tourné vers
l'avenir. S'il ne partage déjà sa place avec personne, s'il domine dès la fin du siècle l'histoire de la musique, il s'y rattache, pourtant. Nul langage personnel ne s'invente *ex
nihilo* ; l'artiste doit reconnaître l'héritage qui lui est trans-
mis, pour le soumettre à l'interrogation et le dépasser.
Il ne s'agit cependant pas, dans le cas de Beethoven, d'« in-
fluences » ni, moins encore, d' « imitation ». Les figures stylistiques, les éléments partiels d'une syntaxe, les techniques
d'écriture que lui transmettent Haydn et Mozart apparaissent
d'emblée profondément modifiés dans leur mise en œuvre,
dans une rhétorique nouvelle. Les *Trios op. 1* montrent davantage une connaissance appronfondie de l'écriture de Haydn,
la mise à profit d'une technique, qu'une imitation. D'ailleurs,
faut-il le rappeler, notre vision d'une époque est loin d'être
celle des contemporains. Nous rattachons volontiers au même
domaine stylistique des œuvres qui, en leur temps, ont accusé
des divergences allant jusqu'au conflit. De Mozart à Haydn,
et au Beethoven des premiers *opus*, le pas semble vite franchi ;

mais nombreux sont les témoignages qui montrent quel choc violent les œuvres du jeune Beethoven ont produit sur leurs premiers auditeurs, quelles libertés « inadmissibles », « scandaleuses », elles accusaient par rapport au style de ses illustres aînés... Imitation : cette formule pourrait à la rigueur recouvrir la période antérieure aux premières Sonates, aux premiers Quatuors – celle de l'extrême jeunesse de Beethoven – celle de Bonn et des premiers temps d'apprentissage à Vienne. Mais là même où l'imitation peut sembler naturelle, voire nécessaire, elle n'épuise pas ce personnage de jeune compositeur : on oublie trop qu'à cette époque, à côté de son œuvre écrite il en crée une autre, infiniment audacieuse, que nous pouvons saisir à travers la seule conjecture, quelques témoignages et notre propre imagination. C'est l'œuvre *improvisée* de Beethoven.

Trois siècles de civilisation musicale se rattachent, pour une grande part, au clavier ; le compositeur au clavier est au centre de la sociologie musicale européenne. C'est par sa présence personnelle dans son œuvre que l'artiste communique avec le public, le conquiert, et lui parle. La voie qui s'impose à Beethoven, à l'heure de ses premières confrontations avec les autres, est celle de la musique jaillissante qui, portée par la présence, subjugue et domine – le piano. En ses premières années viennoises, Beethoven n'est pas connu autrement : peu ont alors entendu ses œuvres écrites que d'ailleurs il ne joue, ne reproduit que rarement. Virtuose, il ne l'est pas davantage, sa répugnance aux prouesses de pure technique est notoire et il ne s'y livrera que *pour leur montrer* qu'il est capable de tenir tête à n'importe qui dans ce domaine. Essentiellement, Beethoven improvise – et cet art périssable prend avec lui une nouvelle signification. D'emblée la nouveauté et la puissance irrésistible de son message lui confèrent l'autorité; il force l'adhésion – et le silence. « Dans quelque société qu'il se trouvât, il parvenait à produire une telle impression sur chacun de ses auditeurs qu'il arrivait fréquemment que les yeux se mouillaient de larmes et que plusieurs éclataient en sanglots. Il y avait dans son expression quelque chose de merveilleux, indépendamment de la beauté et de l'originalité de ses idées et de la manière ingénieuse dont il les rendait. Quand il avait terminé une improvisation de ce genre, il éclatait de rire et se moquait de l'émotion qu'il avait causée à ses auditeurs. *Vous êtes tous des fous*, disait-il ordinairement... » (Czerny).

Beethoven à trente ans
(D'après Steinhauser et Neidel)

Qu'était cette musique? Autant Beethoven s'approche lentement de la vérité définitive et sans recours de l'œuvre écrite, à travers une recherche inlassable, pénible même, dont témoignent ses esquisses, autant dans la forme éphémère de l'improvisation son imagination, libérée du devoir de durer, donne sa pleine démesure. Quels festins d'audaces encore inconcevables sur le papier il devait se donner à lui-même et jeter à la face des autres, quels déchaînements de toutes les puissances d'un langage en train de naître, et dont il pouvait mesurer la force au contact immédiat d'un auditoire bouleversé! A quelles formidables explorations de ressources, découvertes à l'instant, de tel accent, rythme, enchaînement harmonique, ou, déjà, de tel soudain silence, il devait se livrer, à quels « déséquilibres » visionnaires de la forme, qui auraient fait frémir *Papa Haydn* (il en frémissait, d'ailleurs)! Beethoven au piano, rêve sa musique future... Pour nous c'est *ce* Beethoven qui recouvre, efface même la « période d'imitation ». Mais cette musique qui a défié le signe, qui s'est vouée au pur instant, n'est plus que du domaine de l'imagination.

PREMIERS QUATUORS A CORDES

Dès les six premiers *Quatuors à cordes op. 18* Beethoven fait entendre un langage qui n'appartient qu'à lui. Et le tout premier composé de la série – c'est le *Troisième Quatuor*, en ré majeur – est un coup de maître. Il est curieux que ce chef-d'œuvre soit resté, au regard du *Quatrième* et du *Sixième Quatuors*, quelque peu dans l'ombre. Il semblait, au début de notre siècle, que le *Quatrième*, en ut majeur (dernier composé de l'*op. 18*), était « le meilleur »; or c'est précisément le seul où Beethoven sacrifie à la tradition, où se décèle une contra-diction entre la nature de sa pensée et son écriture. Comme si Beethoven, dans cette œuvre, se tournait en arrière pour un dernier adieu à un ensemble de procédés d'écriture (longues répétitions textuelles, mélodie accompagnée, suprématie institutionnelle du premier violon, etc.) que déjà sa musique a vidés de sens, relégués dans le passé. Beethoven sera le seul, d'ailleurs, à son époque, à le juger sévèrement (et en quels termes! *C'est de la m...* [Dreck], dira-t-il tout crûment); il éprouvera pour cette œuvre le même genre d'agacement – et pour les mêmes raisons – que pour son *Septuor op. 20*.

En revanche, combien Beethoven est déjà lui-même dans le *Troisième Quatuor* en ré majeur ! L'écouter dans un esprit ouvert à l'étonnement, c'est en faire, comme pour tant d'œuvres de Beethoven, et même les plus connues, une redécouverte, une propriété personnelle. Dans le méditatif premier mouvement, pas trace de domination du premier violon : tous les instruments vivent, tissent à quatre la trame frémissante. Dans l'admirable *Andante* la mélodie se cache dans les profondeurs de cet *instrument* qu'est devenu le quatuor, elle ne s'impose point par un jeu platement « en dehors », mais par son timbre particulier (donné, selon l'indication explicite du compositeur, par la corde grave seule du second violon). Le *Presto* final est de tous les mouvements sans doute le plus fascinant. Beethoven y déchaîne toutes les ressources neuves de son expression, qui s'affrontent dans un temps musical surtendu. Aux oppositions violentes de masses, de volumes sonores, de registres, d'attaques, dont voici, au vol, deux exemples,

succèdent des raffinements extrêmes. La transition entre la première et la seconde partie du mouvement est bâtie exclusivement sur une minuscule cellule ♪♪, issue du thème ; pendant une page entière notre écoute la poursuit d'un registre à l'autre, d'une rencontre d'instruments à une autre, éprouve ses différentes densités, comme reconnaissant, les yeux fermés, des matières d'épaisseurs différentes. Une figure modifiée du thème initial (*sur premier thème*, prend la peine d'indiquer Beethoven, en français) s'enchaîne à cette page étonnante et, du violoncelle, passe à tous les instruments ; de brusques accents lui font contrepoint, entraînant peu à peu une sorte de « fugato » hérétique entre hauteurs, intensités et masses sonores jusqu'à un point culminant, après lequel tout est transfiguré. L'écriture de Beethoven toujours assume les conséquences d'un événement, d'un point critique atteint dans un développement ; ainsi, après cet éclatement, toutes les *attaques* sont nouvelles – staccato systématique. Quant à l'intensité, qui avait joué un rôle si important jusque-là, elle est bloquée pianissimo pendant trente-huit mesures, comme pour retrouver, après ses déchaînements, un potentiel de virulence. Alors seulement elle émerge de nouveau, dans un discours haletant. Et c'est l'inattendu qui ferme l'œuvre : au lieu de la brillante cadence usuelle, quatre brèves cellules pianissimo, fuyantes.

Avant-dernier dans l'ordre de composition de l'*op. 18*, le *Sixième Quatuor*, en si bémol majeur, culmine en une des pages les plus saisissantes de la musique. L'*Adagio* intitulé *la Malinconia* – qui ne doit pas faire oublier le premier *Adagio* de l'œuvre et ses richesses rythmiques – dévoile à l'état de rêve le langage beethovenien de la fin, avec une audace un peu effrayante.

C'est une opposition de timbres, de clair et de noir, qui régit les deux premières structures, deux visions différentes de la mélodie. Plus loin, dans un champ harmonique « ouvert » – d'accords de septième diminuée, sans direction, sans orientation définie – s'affrontent des lignes de force contradictoires :

Un développement polyphonique aboutit sur une nouvelle chaîne d'accords irrésolus, hallucinante progression, degré par degré, dans une totale incertitude, que le crescendo précipite sur un dernier pilier sonore où elle se brise...

La Malinconia s'ouvre comme une blessure dans le corps de l'œuvre, et son action est d'autant plus corrosive que cette page est totalement étrangère à ce qui l'entoure. L'*Allegretto* qui s'y enchaîne, un « Lændler », résonne comme une dissonance irréconciliable que nulle explication psychologique ne saurait justifier. Le schéma bien connu « le Maître souffre → le Maître se ressaisit » qu'il suffit d'appliquer partout, stéréotypé, pour « expliquer » les plus étranges enchaînements, esquive d'une façon primaire le véritable drame. A notre sens, il vaut bien mieux accepter ce conflit de deux ordres irréductibles, le vivre comme tel, dans toute sa provocante et grinçante réalité, que de lui chercher des « logiques » simplistes. Car il représente la promesse de l'éclatement des formes traditionnelles, d'ores et déjà leur condamnation. Tout se passe comme si Beethoven vivait et voulait cette impossible opposition, l'accentuait comme à plaisir. De ces *dissonances de la forme*, autrement violentes que celles des sons, le vieil édifice de la sonate, en tant que succession de « mouvements » rituels, sortira transfiguré.

SONATES POUR PIANO

A travers des formes encore intactes, mais où se décèle déjà la fêlure, dès les premières Sonates le langage de Beethoven se révèle moderne. Dans les grandes architectures des *Allegros* et plus encore dans les mouvements lents des *Sonates op. 2 n° 2 et 3*, la densité, la concentration des événements musicaux sont telles que le moindre geste acquiert une importance extrême. Dans le *Largo* de l'*op. 7*, les oppositions des volumes et des masses sonores, les structures rythmiques à contretemps, les éclatements de registres, et les silences mêmes, élevés à la puissance de forces autonomes, créent une tension dramatique encore inconnue.

Des premières grandes compositions pour piano, la *Sonate op. 10 n° 3* en ré majeur (1797-1798) est sans doute la plus accomplie.

Son second mouvement, *Largo e mesto*, est un des chefs-d'œuvre de Beethoven et exige que l'on s'y arrête. Pour tenter de pénétrer dans la chimie musicale où se distillent ces états d'une *âme en proie à la mélancolie, avec ses différentes nuances de lumière et d'ombre* (Beethoven à Schindler, en 1823),

OFFENBACH ᵃ/M, JOHANN ANDRÉ.

LONDON, EWER & Cᵒ 72 Newgate St

il faut rechercher la cellule vitale qui engendre et unit les richesses foisonnantes du morceau. La critique de son temps a reproché à Beethoven, comme tant de fois, « la surabondance de ses idées ». Or toutes ont ici une seule origine, sont les métamorphoses d'un même rythme – autant d'aspects d'un seul devenir.

Où se trouve le thème du *Largo* ? Partout. Car chez Beethoven, il faut renoncer à chercher le thème forcément « au début » et toujours sous une forme mélodique. Le thème est ici rythme de deux fois trois croches et se manifeste sans cesse diversement, par les rapports changeants de tous les éléments – harmoniques, mélodiques, d'intensités, de durées, de poids... ou de silences. A partir de cette « cellule de temps », de cette matrice dont tout dérive, l'imagination s'évade dans les constellations les plus lointaines en apparence, les moins prévisibles, les images les plus neuves. Voici l'une des plus dépouillées, elle termine le morceau :

L'intensité, bloquée dans l'à peine perceptible, n'a plus de rôle à jouer ; seule, dans la conclusion harmonique, la masse (en *a*) et l'absence de masse (en *b*), l'immobilité (en *a*) et la mobilité dans l'espace (en *b*) du rythme, s'opposent et se neutralisent. Extinction des forces, extrême *pauvreté* dans laquelle se termine le *Largo*. Mais quelles autres formes il aura traversées ! La toute première revêt un aspect mélodique dans lequel elle se développe jusqu'à un point de tension extrême où elle éclate, se transfigure totalement :

Deux couches de temps se lancent ici à la poursuite l'une de l'autre, se rejoignent enfin dans des enchaînements d'accords sans polarité harmonique (septièmes diminuées) qui permettent de différer encore et encore, dans une sorte d'exaspération de la volonté, l'aboutissement. La chute arrive enfin, mais retenue, douce... Alors s'élève, plus intense encore que celle du début, une mélodie de la plus grande beauté : le temps prend la forme d'une mélodie. Car, rappelons-le, la mélodie n'est plus la voie constante et privilégiée de la communication. Elle surgit, dans la musique de Beethoven, là où elle est irremplaçable ; et d'autant plus forte est son emprise.

En une opposition dramatique (*... avec ses nuances d'ombre et de lumière*), deux nouvelles métamorphoses du thème s'affrontent dans la seconde partie du *largo*. L'une *(A)*, en chaînes d'accords tournant autour d'eux-mêmes, affirme le rythme en des colonnes sonores pesantes :

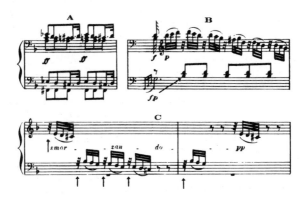

L'autre *(B)* marque d'abord explicitement le thème rythmique, à la basse (↗) et fait entendre en même temps une ligne de triples croches qui peu à peu quitte son apparence ornementale, pour assumer, seule, le rôle essentiel *(C)*. Les silences (↑↑↑) sont subrepticement entrés dans la structure, ils se substituent au thème ; ce sont eux qui marquent le rythme... Le silence envahit enfin tout le développement, littéralement le dévore, jusqu'à ce que, soudain, un sursaut de l'intensité redonne aux sons leurs droits, achève cette transition, conduise à la « reprise ». Ici les guillemets s'imposent à ce terme, car ce n'est qu'une apparence de reprise. Toute reprise n'est, au reste, qu'apparence, en musique : dans le temps qui s'écoule, jamais deux événements répétés ne sont identiquement perçus. Or Beethoven assume « la modification » dans son écriture même. Sa « reprise » est une image transfigurée du passé, parfois analogue, jamais identique. L'écriture met en cause explicitement le temps écoulé et la mémoire, comme si la musique en assumait ouvertement les conséquences : Beethoven transcrit la puissance corrosive du temps et les déformations du souvenir.

Les *Sonates op. 13 (Pathétique), op. 26, 27, 31, 53* tracent le cheminement d'un génie prodigieusement divers : c'est cette diversité qui nous retiendra. Plutôt que d'analyser sommairement ces œuvres, nous nous attacherons à leurs traits particuliers.

Avec la *Sonate* dite *Pathétique* (1798), l'introduction, terme très important dans la rhétorique de Beethoven, sur lequel on reviendra encore, prend toute sa signification. Plus qu'une simple entrée en matière, le *Grave* qui ouvre le premier mouvement est une entité musicale qui rayonne sur toute l'œuvre, détermine notre attitude envers celle-ci. Ce dramatique épisode revient deux fois dans l'*Allegro*. A sa dernière apparition, les accents se transforment – là encore – en silences. Leur pouvoir expressif est tel que l'interprète qui ne *joue* pas ces silences, qui ne les vit ni ne sait les transmettre, vide toute l'œuvre de son sens. Le titre de *Pathétique*, admis (bien que non donné) par Beethoven lui-même, se rattache non seulement au climat dramatique instauré par l'introduction, mais également aux tonalités du premier et du second thème, mineures l'une et l'autre.

Dans la *Sonate op. 26* en la bémol majeur, le traditionnel « allegro de sonate » est remplacé par un *Andante con variazioni* dont la conception marque la fin de la variation dite « ornementale », brodée autour d'un modèle mélodique maintenu tout au long ; c'est la préfiguration de ces grands cycles de métamorphoses que sont les dernières Variations beethoveniennes. Celles de l'*op. 26* ne maintiennent que les puissances profondes du thème, une ossature harmonique, une situation rythmique ; l'imagination, se libérant de plus en plus du « modèle », ne s'y rattache plus que par des affinités souterraines. Le second mouvement est la célèbre *Marche funèbre sur la mort d'un héros*. Pièce maîtresse au répertoire des orphéons du monde entier, elle résonne, pièce de circonstances civiles et militaires, sur bugles, ophicléïdes et bombardons, en maintes versions auxquelles son écriture pianistique très orchestrale se prête dans une certaine mesure.

La *Sonate op. 27 n° 1* qui, comme le *n° 2* porte le titre *Quasi una fantasia*, débute par des variations libres (*fantasieren* veut dire improviser) et ses mouvements s'enchaînent sans interruption. L'*op. 27 n° 2*, la célèbre *Sonate* dite *Clair de lune*, ainsi baptisée par le poète Rellstab pour lequel elle évoquait une promenade nocturne sur le lac des Quatre-Cantons (?), a suscité les commentaires les plus inspirés, comme les plus délirants, et même un film avec le pianiste Paderewski. A l'origine de cette abondante exégèse est évidemment la dédicace de l'œuvre à Giulietta Guicciardi que Beethoven avait passionnément aimée. Il est probable que la dédicace de l'*op. 27 n° 1 et 2* avait été tout d'abord destinée à la princesse Liechtenstein ; c'est au moment de la publication que Beethoven dissocia les deux œuvres et donna la seconde à Giulietta. L'*op. 27 n° 2* est-il un roman ? C'est – au moins – un chef-d'œuvre... Dans l'admirable premier mouvement nous retrouvons l'improvisateur. Le chant s'épanouit librement, tour à tour à la surface ou dans les profondeurs de la trame musicale. Aussi puissamment agissant que le climat harmonique et ses douloureuses dissonances est le timbre de cet *Adagio*, sombre et somptueux, surgi des registres les plus graves de l'instrument. L'indication de Beethoven *senza sordini* (c'est-à-dire *avec* pédale) appelle la fusion constante des basses, la fluidité d'une coulée sonore continue que ponctuent les rythmes du chant. De même, dans le dernier mouvement, le jeu de la pédale couronne d'une gerbe de résonances la trajectoire sourdement palpitante du thème. C'est ce dernier mouvement qui correspond au schème d' « allegro de sonate » : renversement d'une forme avec laquelle Beethoven prend de plus en plus de libertés. Cette liberté trouve dans la

Sonate op. 31 n° 2 en ré mineur (1802), un de ses plus beaux accomplissements. Dans l'*Allegro* initial, ouvert par un prélude tour à tour méditatif et décidé, l'affirmation tonale longuement différée, l'irruption du récitatif, la libre alternance des tempi, la domination du premier thème, la suppression de la reprise sont autant de gestes audacieux dont certains se retrouvent dans la dernière *Symphonie*. L'expression dramatique – *lisez « la Tempête » de Shakespeare*, dira Beethoven – ne sacrifie plus au schème préétabli, elle est immédiate, s'incarne dans une forme créée pour elle. L'*Adagio* fait entendre une des lignes mélodiques les plus intensément expressives de Beethoven, émergeant d'un espace véritablement « instrumenté » – on imagine, dans le grave, des timbales qui scandent leur rythme obstiné. Le finale est bâti sur une cellule unique qui prend mille formes mélodiques, tourne autour d'elle-même, évolue, reprend son état initial... *A présent je veux marcher dans des chemins nouveaux*, dit Beethoven à son ami Krumpholz, peu avant la publication de cette sonate.

Nouveaux chemins encore, avec la grande *Sonate op. 53* en ut majeur où s'affirme un univers sonore moderne. Dans cette œuvre, appelée la *Waldstein-Sonate*, du nom de son dédicataire (et aussi – mais pourquoi ? – *Aurore*), il ne s'agit pas seulement d'une évolution de la technique pianistique, certes impressionnante : c'est la pensée instrumentale même qui s'affirme nouvelle. Les états changeants de la sonorité, propres à cette œuvre, ne sont pas décoratifs, surajoutés en quelque sorte à la pensée musicale, ils en sont indissociables. Le timbre se révèle idée musicale dès le début de l'*Allegro con brio*. Le cycle harmonique que parcourt le thème semble lui-même être un cycle de couleurs changeantes. De même, le saut dans l'aigu du groupe rythmique, à la troisième mesure, changement de registre, est un changement de timbre, une touche lumineuse sur le fond sombre de la pulsation. Enfin, à la seconde apparition du thème, les battements rythmiques se dédoublent : ce n'est pas un rythme mais un timbre nouveau, une nouvelle « valeur » – et c'est la qualité sonore seule qui différencie les deux aspects du thème. C'est encore sous le signe du timbre que le thème évolue à travers l'*Allegro*, qu'il acquiert ses pouvoirs expressifs changeants, aboutissant au seuil de la reprise, à la plus sombre de ses métamorphoses.

Enchaîné au mouvement lent, *Introduzione*, qui naît d'un germe rythmique, croît, s'amplifie, devient mélodie sublime, puis s'éteint, le *Rondo* de l'*op. 53* se confond totalement avec les évolutions de sa matière sonore. Ce sont elles qui prennent en charge le devenir musical, qui le renouvellent. Et lorsque nous évoquons dans notre souvenir le merveilleux thème du rondo, ne sont-ce pas, tout autant que sa mélodie, inséparables d'elle, les différents états « acoustiques » d'un ruissellement qui résonnent en nous, qui le rendent musique ?

Voici un de ces états :

Deux lignes se déploient parallèlement à la mélodie elle-même – deux formes sonores dont la manière d'être et de palpiter dans le temps détermine la qualité du timbre. A la basse, ce sont les modes d'attaque variables (sons liés, puis détachés) et la vitesse, la densité des sons dans le temps qui sont déterminants. Au-dessus, le trille : sa fonction harmonique (de « dominante ») ne suffit pas à le définir, le trille est avant tout un son complexe d'une certaine *qualité* – déjà un timbre. Et c'est à ce titre qu'il va envahir la musique de piano de Beethoven ; dans les dernières œuvres, des pages entières se dérouleront sous son signe.

Comparez cet état du thème avec son état initial, avec ses évolutions ultérieures. Alors même que la situation harmonique et le motif mélodique ne changent pas, tout se métamorphose continuellement dans le timbre. Lorsqu'à la fin le thème traverse un cycle de modulations, il modifie encore, par sa nouvelle pulsation ternaire, sa qualité sonore – double transfiguration, l'une des plus merveilleuses.

Dans l'évolution de notre langage musical, de « l'Art de la fugue » (écrit, rappelons-le, sans aucune indication d'instruments) à Debussy et Webern, le timbre accède progressivement au rang de dimension musicale nécessaire. L'œuvre de Beethoven, et singulièrement son œuvre de piano marque un tournant décisif dans cette évolution. Paradoxalement, l'œuvre d'un compositeur sourd...

L'expérience humaine que Beethoven sans cesse intériorise, sans cesse renvoie vers les profondeurs, rejoint son évolution créatrice, pénètre son œuvre, en infléchit le sens. Et tout autant que la nature, la volonté et le *destin*, les œuvres modèlent le visage de l'homme. Une à une elles ne le « racontent » certes pas, comme les feuilles d'un journal, jalons explicites, mais il se découvre dans leur totalité et leur mouvement. Ce mouvement – est-il « progrès » ? Pour l'artiste le progrès est une notion permanente, et tout artiste vrai – Beethoven plus que tout autre – le poursuit à travers sa vie entière avec acharnement, humilité et foi. Privilège exclusif du créateur, pour son *œuvre*, en revanche, cette notion est un leurre. Dans la totalité de l'œuvre de Beethoven, le « progrès » ne peut nous apparaître que comme hors du déroulement chronologique de sa vie créatrice, que comme un idéal constant qui éclaire d'une lumière *égale* chaque instant créateur, chaque œuvre. Gardons-nous donc d'ordonner la musique de Beethoven selon quelque trajectoire ascendante de « valeur ». Nous sommes libres d'élire dans cette musique nos œuvres, nos domaines poétiques, selon notre jugement et nos résonances propres : mais uniquement dans la mesure où nous nous souvenons qu'il n'y a pas d'œuvre qui puisse amoindrir celle qui la précède par la seule – illusoire – qualité de lui être postérieure. Ainsi, ce n'est pas comme une « préparation » aux *Quatuors* de l'*op. 59* que l'on doit considérer ceux de l'*op. 18*, ni les *Razumovsky* comme une « transition » vers les *Quatuors* de la fin. Beethoven est tout entier présent dans chacun d'eux – ce sont autant d'aspects, toujours nouveaux et toujours définitifs, de son génie.

Dans le premier mouvement du *Quatuor op. 59 n° 1*, en fa majeur (1806), Beethoven supprime, comme dans la *Sonate Appassionata*, contemporaine, la répétition traditionnelle de l'exposition ; et comme presque toujours, la « reprise » est profondément modifiée. Si le beau thème discursif affirme tout d'abord son caractère mélodique, dans les registres opposés du violoncelle et du violon, très souvent il se réduit à tel ou tel de ses fragments, moins caractérisé mais plus malléable : procédé beethovenien, qui ouvre la voie à l'action renforcée de toutes les dimensions musicales dans le développement. Les réapparitions mélodiques du thème n'en seront qu'un des aspects. Dans l'*Allegretto vivace*, second mouvement, registres et timbres de chaque instrument dessinent des plans sonores presque visuellement perceptibles. L'auditeur « voit » la profondeur du champ, à travers chacune des couches sonores où tour à tour passe la pensée musicale :

Dans cette alternance des plans, Beethoven puise les ressources de l'immense développement. Quatre cent soixante-dix mesures : par ses seules dimensions cette forme dépasse le cadre habituel du « scherzo ». Dans les derniers *Quatuors* notamment, elle sera le domaine de prédilection des spéculations rythmiques les plus audacieuses de Beethoven.

Structures rythmiques, timbres, attaques enchevêtrent leurs réseaux dans l'*Adagio mesto* et ouvrent à son admirable thème et à la floraison de motifs qui s'en dégagent un champ complexe de métamorphoses. Dans sa seconde apparition, le thème se trouve au violoncelle, non dans le grave cependant, mais dans le registre aigu de l'instrument où il acquiert une sonorité pénétrante. Peu à peu des chaînes de triples croches, puis de sextolets de triples croches, liées, détachées ou pizzicato, envahissent le déroulement de la mélodie. Quel est leur rôle ? Champs harmoniques, certes : mais surtout, pour em-

ployer un terme réservé aux acousticiens modernes, « formants »
d'un complexe sonore, composantes du timbre en évolution.
Chacun d'eux, par son mode et son rythme de pulsation,
par ses types d'attaques, donne à la trame sa texture particulière, sa qualité spécifique :

Voyez, dans la deuxième mesure de cet exemple, un élément
mélodique *(x)* se dissoudre en un pointillé de sons répétés et
détachés, devenir un pur élément de timbre, tandis qu'au
premier violon plane de nouveau le thème *(a)*, au-dessus d'un
« formant » de sextolets liés et des pizzicati plus lents du
violoncelle. Dans le milieu sonore en constante évolution
qui résulte de ces interférences mouvantes, le thème, quoiqu'il soit textuellement égal à lui-même, résonne à chaque fois
comme quelque chose d'absolument nouveau, comme jamais
entendu.

C'est avec une particulière sensibilité au timbre, croyons-
nous, qu'il faut également écouter le *Quatuor op. 59 n° 3*,
notamment son exquis *Andante*, dont le seul premier son,
pizzicato, conditionne l'écoute de tout le mouvement (il
en sera encore question), et surtout la fugue finale *Allegro
molto*. Prendre ici le timbre comme une des références les

plus importantes de l'écoute peut paraître paradoxal : la fugue n'est-elle pas du domaine exclusif de l'harmonie et du contrepoint, rapports mélodiques, tonalités ? Certes : mais si ces éléments jouent ici leur rôle essentiel, le *milieu* dans lequel ils se trouvent est tel qu'ils y libèrent d'autres pouvoirs. Ce milieu est la *vitesse* – elle conditionne puissamment la perception. Au sein du tempo extrêmement rapide de ce mouvement (une exécution techniquement insuffisante littéralement le tue), les sons déferlent à raison de dix ou douze par seconde ; quoiqu'à cette vitesse l'oreille, physiquement, sépare parfaitement les sons et entende les structures mélodiques, l'écoute musicale tend déjà à déplacer son centre d'intérêt, et les sons commencent à être perçus ici non comme des points et des rapports immédiats, mais par ensembles, comme des traces sonores. Ce que l'on commence à écouter, à la « bonne » vitesse de l'*Allegro*, ce sont des champs harmoniques globaux, des durées vastes où se dissolvent les « microdurées », un rythme non plus de valeurs distinctes, mais de structures entières ; enfin des mouvements de timbre en évolution. Écoutez cette matière sonore, portée à l'incandescence par la vitesse, bouillonner et transformer ses couleurs, passer d'un état lumineux à celui d'un flot trouble, s'obscurcir complètement, de nouveau s'éclairer, puis s'envoler en fumée... Rythmes de timbres, d'épaisseurs, de trajectoires sonores sillonnant un immense registre, tout autant que rapports harmoniques : la substance musicale de cette fugue est un contrepoint de *qualités de temps*. Consciemment ou inconsciemment ? Peu importe : la pièce a été composée ainsi par Beethoven, elle *sonne* ainsi et pas autrement. A notre écoute moderne de reconnaître les dimensions nouvelles que cette musique portait en elle pour son avenir – celles-là mêmes qui déroutaient nos ancêtres, et les interprètes eux-mêmes. *Que m'importe votre sacré violon, lorsque l'esprit souffle en moi !*

On a remarqué avec raison que les *Quatuors Razumovsky* sont « symphoniques », par leur richesse sonore, leur écriture « orchestrale ». Or la fugue *Allegro molto* justifie d'une autre façon encore ce terme : c'est son temps qui est symphonique, conçu par grandioses étapes. Sa seule cadence finale s'étend sur plus de cent mesures, entre le moment où elle est pressentie jusqu'à celui où elle éclate et clôt l'œuvre. Sa trajectoire n'est cependant pas d'un seul tenant : en son milieu survient brusquement un événement qui incarne la volonté créatrice de Beethoven avec une telle pureté et une force telle, qu'il faut tenter de le saisir en pleine action. Peu après la mesure 300, une chaîne de trilles affirme la dominante de la tonalité, qu'elle fait entendre à tous les niveaux ; déjà se fait pressentir la cadence. L'écriture rythmique (syncopes), l'écartement extrême vers lequel se dirigent les registres, la poussée du crescendo – tout concourt à la plus forte tension possible. Soudain,

c'est un coup de foudre : le silence (↓). Une compression des registres, $\left(\begin{smallmatrix}>\\>\end{smallmatrix}\right)$ une décharge rythmique *(x)* l'ont précédé et lui confèrent une force brutale. Pourquoi cette rupture de l'élan? Parvenu aux limites de la tension, c'est grâce à cette rupture que Beethoven va retrouver une puissance nouvelle de ses lignes de force ; il peut repartir à zéro – ici (↑). Et le grand silence n'a pas été perçu comme une chute de la tension, mais comme une explosion. Car dans le temps progressivement saturé de densité pendant presque quatre cents mesures, le silence apparaît comme le seul événement de grande puissance possible.

Alors, c'est la ruée vers la cadence finale. Du piano ici, jusqu'au fortissimo de la fin, du son unique d'un seul instrument jusqu'à la masse des onze sons du dernier accord, à travers la précipitation rythmique, la divergence des registres, un crescendo immense, la tension éclate enfin, nous sommes libérés, rendus au temps humain.

Là est Beethoven.

Domaine symphonique

De toute la musique occidentale, les Symphonies de Beethoven sont le bien le plus universellement partagé. De toutes les œuvres de Beethoven, ce sont celles qui révèlent leurs richesses de la manière la plus immédiate, la plus généreuse, la moins secrète. Est-ce à dire que n'y souffle pas l'esprit moderne qui, comme on a encore souvent tendance à le croire, ne s'exprimerait qu'en des formes obscures, accessibles au petit nombre seulement ? Il n'en est rien, bien sûr. Mille aspects des architectures symphoniques de Beethoven témoignent de conceptions nouvelles, d'inventions créatrices toujours singulières où la notion même d'époque stylistique, de style partagé, s'abolit dans une seule volonté ; à neuf reprises, Beethoven recrée totalement une des formes majeures de la musique européenne. Mais plus encore que dans l'ordre du langage et la révolution des formes, la modernité du génie beethovenien se manifeste ici comme révolution de la sensibilité collective : les Symphonies appellent une communication nouvelle, une nouvelle vie publique de l'œuvre.

Le rôle des Symphonies de Beethoven dans l'histoire de la musique a été particulièrement bien mis en évidence, au long d'un siècle. On ne peut que souligner ici des traits essentiels, et s'arrêter sur ceux qui prennent une signification particulière aujourd'hui, à travers la sensibilité de l'auditeur moderne, en excluant évidemment toute analyse détaillée aussi bien que toute interprétation purement psychologique, toujours sujette à caution. Par sa structure et sa signification, et par le temps de sa maturation qui s'étend sur presque toute la vie créatrice de Beethoven, la *Neuvième* nous semble exiger une place à part. En revanche, par-delà leur extrême diversité sur laquelle on ne peut qu'insister, les huit premières Symphonies, nées de 1800 à 1812, forment un ensemble d'une profonde unité ; c'est avec raison que Paul Bekker voit dans les Symphonies « la plus vaste œuvre cyclique de la maturité du compositeur ».

Neuf Symphonies : nombre important au regard de l'histoire musicale moderne, qui commence avec Beethoven. Mais au regard de l'époque qui s'achève avec lui ? Mozart en a composé plus de quarante, Haydn plus de cent. Cette rupture atteste que la composition musicale change de nature, qu'une nouvelle genèse de l'œuvre s'instaure avec Beethoven. Dans les Symphonies, comme dans les Quatuors et les Sonates, la démarche créatrice est à ré-inventer avec chaque œuvre. Lors même que tel geste symphonique de Beethoven paraît s'inscrire dans le contexte stylistique de son temps, il est expérience totale. Beethoven abolit, dans son dialogue avec l'œuvre en train de naître, toute sécurité, tout réflexe stylistique non soumis au doute. Avec chaque Symphonie il découvre *la* Symphonie. C'est dans cette perpétuelle veille de l'esprit créateur que ses œuvres puisent – et n'épuiseront jamais – leur jeunesse.

A qui s'adressent les Symphonies, par la voix multiple et puissante de l'orchestre ? Mozart et Haydn ont écrit une grande part de leurs œuvres pour des sociétés restreintes, et sociologiquement extrêmement définies. Ce n'est qu'à la fin de sa vie que Haydn affronte un public plus vaste et inconnu. Tout aussi défini – et relativement stable – que le public, est le caractère même de la symphonie « pré-beethovenienne », proche encore stylistiquement et instrumentalement de la musique de chambre. Par son potentiel spirituel nouveau, aussi bien que par sa structure sonore, la musique symphonique de Beethoven dépasse d'emblée tout caractère et tout contexte préétablis, s'élance à sa propre découverte, et rejoint – suscite même – un public nouveau. A cette société en mouvement, tournée vers l'avenir, aux désirs imprévisibles, aux exigences informulées, à ces inconnus Beethoven donnera ce à quoi ils aspirent sans encore le savoir, et même sans encore le vouloir. Rapports nouveaux, épreuves de force hasardeuses, où la réticence et le malentendu côtoient l'exaltation collective... Cette perpétuelle aventure d'une libre confrontation, nous continuons de la vivre, périlleusement, dans la musique d'aujourd'hui. C'est à Beethoven surtout que revient la gloire de l'avoir instaurée.

Ce n'est pas à l'état d'idées musicales pures, désincarnées, que l'on peut approcher les Symphonies de Beethoven, mais dans leur chair vive – leur réalité sonore concrète. L'orchestre de Beethoven n'est pas l'instrument de puissance, le porte-voix, ni le revêtement de sa pensée musicale « orchestrée » : il fait corps avec elle, il *est* cette pensée.

Les instruments de l'orchestre beethovenien ne sont plus enchaînés dans un ordre de privilèges immobile. Dans ce domaine aussi s'abolissent les hiérarchies traditionnelles, la stratification a priori des rôles en principaux et secondaires. Un des signes les plus évidents d'une nouvelle conception de l'orchestre, où tous les instruments sont appelés de plein droit à assumer des fonctions essentielles, est le dépassement de la suprématie des cordes – des violons en particulier. Les instruments à vent – bois et cuivres – cessent d'être les éléments occasionnels d'une mise en valeur purement linéaire, « porteurs de la mélodie », et deviennent partie intégrante du jeu orchestral, à tous les niveaux. Sur le plan de l'orchestre, l'évolution de Haydn à Beethoven apparaît, à travers leurs conceptions musicales différentes, dans la mise en œuvre plutôt que dans l'inventaire des instruments. C'est Haydn qui a donné à l'orchestre ses dimensions modernes, qui a exploré ses ressources avec une prodigieuse intuition, et grâce à une expérience directe et quotidienne. Beethoven, lui, le met en œuvre d'une façon nouvelle, dictée par de nouvelles exigences de langage.

La *Première Symphonie* affirme déjà les voies propres de la pensée orchestrale de Beethoven. C'est une véritable promotion des instruments à vent, que d'ailleurs la critique s'empresse de reconnaître en reprochant au compositeur, au lendemain de la première exécution (2 avril 1800), d'écrire « de la musique militaire ».

Cet équilibre nouveau des groupes instrumentaux, loin d'être mis en lumière par nos interprétations d'aujourd'hui, est souvent négligé. L'hypertrophie du groupe des cordes est un des penchants les plus tenaces du « symphonisme », et pour beaucoup le terme de symphonie se traduit par « orchestre de 120 exécutants ». (La réverbération artificielle, dont nos enregistrements ne se passent plus, achève d'arrondir les angles, de brouiller la netteté de l'écriture beethovenienne.) Moscheles rapporte que Beethoven craignait par-dessus tout *la confusion* et ne voulait pas avoir plus d'une soixantaine d'exécutants pour ses Symphonies. Une note de la main de Beethoven pour les frais de copie de la *Huitième* confirme parfaitement ce témoignage (elle fait état de soixante-huit musiciens en tout).

Édition française de 1837

Page de titre du manuscrit de l'Héroïque

Beethoven développe cependant l'inventaire instrumental lui aussi : contrebasson, trombones, petite flûte font leur entrée dans son orchestre symphonique. Aux timbales il confie souvent un rôle très important, il délie les contrebasses des violoncelles, écrits jusqu'alors en une seule ligne de « basses » jouant les mêmes notes à l'octave. Quant aux cors, Beethoven en est un des grands promoteurs, moins par leur nombre que par le rôle musical qu'il leur confie et par l'écriture qui est celle, déjà, d'un instrument à venir (le cor à pistons).

La *Troisième Symphonie, Eroïca*, une des œuvres majeures de notre histoire, nécessiterait une étude qui déborderait facilement les cadres de ce travail. Aussi, plutôt que d'en faire une analyse forcément incomplète, nous voudrions nous limiter à quelques remarques sur le rôle de l'orchestre dans son architecture musicale. Quant au contexte historique – capital – de l'œuvre, il sera évoqué dans la dernière partie de notre ouvrage.

Dans la *Troisième Symphonie*, idée musicale et incarnation sonore ne font qu'un. Évoquez le premier thème de l'*Allegro* : quel instrument résonne dans votre souvenir ? C'est le cor.

Cors et trompettes sont la destination instrumentale essentielle du thème, c'est ainsi qu'il est né, organiquement lié à ces instruments qui traduisent bien son caractère héroïque. Dans la *Symphonie*, ce lien – cette identité – de l'idée et du timbre est d'autant plus agissante qu'elle n'est explicite que rarement. En effet, le « thème-cor », omniprésent, n'est entendu aux cors qu'à certains moments précis ; dès lors, toute autre instrumentation du thème n'est pour nous qu'une anticipation de son incarnation idéale. Ainsi, le timbre peut créer ses propres réseaux, ses propres fonctions de l'attente, et participer organiquement au dynamisme d'un développement symphonique. On pourrait dire que dans l'*Allegro* les cors constituent en quelque sorte une « tonique de timbre », un pôle d'attraction.

Une grande analyse de la *Troisième Symphonie* à travers sa dimension orchestrale reste à faire : elle révélerait un des moteurs essentiels de son formidable développement. L'écouter dans cet esprit, en pensant moins à Bonaparte qu'aux pouvoirs architectoniques de l'orchestre, éventuellement partition en main, est une source de découvertes. Rien que de suivre les changements de timbre d'une cellule rythmique qui apparaît à la mesure 45 de la partition, met en lumière le « temps instrumental » de l'œuvre :

Suivez les nouvelles mutations de ce passage, aux mesures 220, 448 : autant d'états sonores qui marquent de nouvelles étapes, prennent en charge le dynamisme du mouvement. A l'issue du développement, après la fameuse rentrée du cor en une « inadmissible » dissonance (tonique et septième de dominante simultanées) que Wagner lui-même s'employa à corriger, voici d'autres métamorphoses du timbre, dans des

champs harmoniques changeants : on pourrait parler là de
« modulations de timbre », organiquement reliées aux modulations harmoniques, ou même de « crescendo de timbre ».
Voyez ce double cycle :

THÈME EN :	Mi bémol majeur	Fa majeur	Ré bémol majeur	Si bémol majeur	Mi bémol majeur
AUX :	*Violoncelles*	*Cor en fa*	*Flûte-violons*	*2 flûtes-altos-basses.*	*Tout l'orchestre*

Réminiscence plutôt que reprise véritable, cette étape marque
un relatif répit entre le développement et la *Coda* de 120
mesures qui termine victorieusement le mouvement.

La *Marche funèbre* est de forme tripartite, avec une reprise
extrêmement développée. Les cordes graves et les clartés
tranchantes des bois s'opposent tour à tour ou s'interpénè-
trent en d'étranges alliages. Là aussi le timbre possède une
fonction architecturale, il ne se borne pas à créer la couleur
sombre, dramatique du morceau, mais il individualise chaque
élément d'un réseau rythmique particulièrement riche et
complexe. Aux dernières mesures apparaît non le thème, mais
son fantôme – une forme squelettique de son rythme, dislo-
quée entre les cordes et les instruments à vent : dernière
mutation spectrale, avant l'accord, tranchant comme une
lame, des bois et des cors aux uels s'unissent les cordes.
Une des plus inspirées de Beethoven, cette fin n'aura pas
demandé moins de huit esquisses différentes...

Le lettre M sur une des esquisses du troisième mouvement
indique-t-elle que Beethoven aurait pensé tout d'abord à un
menuet ? Si l'on imagine un instant cette folle page jouée dans
le tempo du menuet – c'est-à-dire deux fois plus lentement –
on peut se donner une idée de l'action de la vitesse sur la
matière sonore. Rythmiquement, harmoniquement, cette page
pourrait « se tenir », à ce mouvement ; mais sa sonorité ne
serait alors « que ce qu'elle est » – celle des instruments mis en
jeu. A la vitesse effective du morceau, en revanche, *allegro
vivace*, les points sonores ne s'entendent pas un à un, ils
deviennent étincelles d'une flamme, matière sonore nouvelle,
palpitante, qui fuse, qui se déploie et se transforme dans le
temps par gerbes entières, et qu'une ultime précipitation
jette sur les trois accords finaux.

Le dernier mouvement, *Allegro molto*, est bâti sur la libre
variation du thème de *Prométhée op. 43* qui est celui, également, des *Variations pour piano op. 35*, dites *Variations
Eroïca*. Le thème qui se déroule en ostinato, comme une

passacaille, et subit douze transformations, est introduit par un impact sonore foudroyant. Entendu comme un seul son, bloc de temps impossible à morceler, défini globalement par une masse, une force et une vitesse, ce *groupe* (voir aussi l'*Appassionata*) n'a ici d'autres fonctions que de balayer l'espace, de nous arracher à ce qui a précédé, et d'ouvrir au thème de Prométhée un temps pur de tout contexte immédiat.

Gestes d'appropriation de la musique – et de celui qui l'écoute – les *introductions* prennent dans l'œuvre de Beethoven une infinité de formes. C'est le moment de s'y arrêter.

La *Première Symphonie* n'avait pas choqué les gens de goût seulement à cause de son orchestration « bizarre » ; l'œuvre, écrite en ut majeur, débute agressivement par un accord de dominante de fa majeur et, au cours de douze longues mesures *adagio*, évite systématiquement la tonalité d'ut – pour la faire éclater d'autant plus impérativement dans l'*Allegro* proprement dit. Dans la *Deuxième Symphonie*, trentre-trois mesures *adagio* précèdent l'*Allegro* initial ; dans l'*Héroïque*, deux accords violents s'inscrivent en tête du premier mouvement et un groupe introductif, en tête du finale. Dans la *Quatrième Symphonie*, en si bémol majeur, un *adagio* encore, en si bémol mineur et à prédominance de tonalités mineures, fait attendre l'*allegro*... Autant d'expressions d'une relation fondamentale suspension – affirmation, ou, plus généralement, antécédent – conséquent : ce rapport rythmique, fondamental d'une poétique, est ici projeté sur des étapes entières du devenir. De ces *rythmes de formes* Beethoven usera plus systématiquement que tout autre compositeur. Tous les éléments sont prêts à lui en fournir l'expression : tonalité, tempo, groupes, accents, nuances opposées, timbre. Lorsqu'il fait entendre, au début de l'*Andante* du *Quatuor op. 59 n° 3*, un seul son, pizzicato, au violoncelle, cette minuscule touche de couleur rejaillit sur tout le morceau, elle exerce la même fonction que la longue digression tonale du début de la *Première Symphonie*.

La *Cinquième Symphonie*, en ut mineur, est, avec la *Neuvième*, celle qui a suscité le plus grand nombre d'interprétations, de gloses et de dithyrambes. Tous les commentaires se justifient; en quelque sorte l'œuvre donne raison à tous, et même – pourquoi pas ? – à ce vieux grenadier qui, en l'entendant, s'écria : « C'est l'empereur, voici l'empereur! » S'il est une œuvre qui appartient à tous, et reste propre à chacun, c'est bien celle-là. A travers un siècle et demi, elle garde intactes ses puissances. Aujourd'hui encore, le plus blasé des auditeurs, qui se donne le chic de l' « éviter » aux concerts du dimanche, lorsqu'il se trouve face à elle, n'y résiste pas, en est transfiguré. Pour tous, et par-delà les époques et les pays, la *Cinquième* est devenue le symbole de l'appartenance à une communauté spirituelle : voici *notre* musique.

De ce fait, elle appelle moins que toute autre une « interprétation », une de plus. Qui en a besoin ? Prétendrions-nous, alors, mettre à nu le génie de Beethoven, en démontrer le « pourquoi » et le « comment » par le moyen de quelque subtile analyse ? Plus que toute autre, cette œuvre, par l'extraordinaire limpidité de sa structure, fait apparaître l'irréductible du génie. Mais comme toutes les œuvres de Beethoven, la *Symphonie op. 67* en ut mineur éclaire de nouveaux aspects d'un langage – et particulièrement l'idée de *thème*.

Le thème beethovenien peut être, on l'a déjà vu, visage aux traits accusés – une individualité musicale qui s'affirme dans son aventure temporelle, ou bien champ d'action, situation qui s'exprimera diversement dans l'œuvre, y prendra d'innombrables aspects. Si l'*Hymne à la Joie* de la *Neuvième* incarne le premier type de thème, la *Cinquième* met en œuvre le second. Qu'est-ce que son thème ? Presque rien... trois brèves et une longue, une des figures les plus simples qui soient et les plus courantes de notre inventaire rythmique. D'ailleurs, on le retrouve dans toute la littérature musicale, comme maintes fois dans l'œuvre de Beethoven lui-même (et il n'y a pas de quoi s'en étonner à chaque fois). C'est bien une telle cellule, à la fois caractérisée et versatile, qu'il faut au compositeur pour le développement qu'il envisage ; il l'a longuement choisie, d'ailleurs, comme le montrent les esquisses, elle ne s'est nullement « révélée » à lui. Car la cellule, noyau qui libérera un formidable potentiel d'énergie, doit contenir d'innombrables virtualités d'expansion. Elle connaîtra alors mille situations harmoniques, prendra mille formes mélodiques, en particulier celle qui ouvre l'œuvre. Dans la multitude de ses visages seulement, et dans la totalité de sa trajectoire apparaîtront les traits de cet être unique qu'est « le thème de la *Cinquième Symphonie* ». En soi, hors de son contexte, cette cellule appartient, presqu'anonyme, à tout le patrimoine musical. En revanche, telle qu'en elle-même l'œuvre la change, elle est « le thème du Destin ». L'œuvre crée le thème.

Cette source thématique, présente en ses mille aspects dans tous les mouvements, et les rapports harmoniques étroits qui lient ceux-ci, donnent à l'œuvre son extraordinaire unité. C'est une seule trajectoire, et non quatre mouvements indépendants que nous parcourons ici, trajectoire orientée, tendue vers un paroxysme. Telle, elle justifie pleinement le sens symbolique que lui a donné l'humanité : la lutte avec le destin est couronnée par la victoire, par l'affirmation triomphante de la vie. Sous une tout autre lumière, et une forme nouvelle, cette trajectoire sera reprise dans la *Neuvième*. Entre ces deux œuvres clés, Beethoven réinventera trois fois encore la Symphonie.

Comparons l'univers sonore de la *Cinquième* à celui de la *Pastorale*, son exacte contemporaine : dans l'une, l'éclat, la force, les oppositions abruptes de lumière et d'ombre déterminent la structure de l'orchestre, qui s'adjoint pour le dernier mouvement le suraigu de la petite flûte, l'extrême grave du contrebasson, la majesté des trombones. L'écriture elle-même vise une puissance maximale, procède par unissons, par blocs, par grandes masses. Tout autre est la *Pastorale* où prédominent les demi-teintes, les nuances délicates. Le choix des instruments se restreint, l'écriture en est fine, déliée. L'apparition de la petite flûte, des timbales est fugitive (dans l'*Orage*), et les trombones seront utilisés plus comme un discret renforcement harmonique que comme puissances sonores. Les cordes dominent ; les bois sont traités en mixtures raffinées, ou individuellement – en solistes. Clarinette et hautbois retrouvent leur caractère « pastoral », le basson son humour, la flûte son chant d'oiseau... Thématique et développements changent totalement : aux tensions de la *Cinquième*, et à son unique cellule génératrice « prégnante », succèdent de vastes thèmes aux contours mélodiques et rythmiques ciselés, destinés à demeurer eux-mêmes, à déployer les uns après les autres leur tranquille beauté.

Mehr Ausdruck der Empfindung als Malerei – expression du sentiment plutôt que peinture, ces mots, inscrits en tête de la *Pastorale*, n'ont pas empêché, malgré leur netteté, que l'œuvre soit considérée comme « musique à programme » : Beethoven multiplie cependant les mises en garde contre une interprétation exagérément pittoresque à laquelle il estime sa musique étrangère. *Tout spectacle*, écrit-il sur la partition

La promenade favorite de Beethoven dans le Helenenthal, près de Vienne.

en 1807, *perd à vouloir être reproduit trop fidèlement dans une composition musicale.* Dans une lettre au poète Gerhard, en 1817, c'est en ces termes qu'il précise le domaine de la musique : *la description d'une image appartient à la peinture ; le poète aussi peut s'estimer heureux d'en être capable ; son domaine n'est pas aussi restreint que le mien à cet égard ; mais en revanche le mien s'étend plus loin en d'autres contrées, et on ne peut pas aussi facilement parvenir à notre empire.*

Ainsi, méfions-nous, tout « programme » peut nous interdire ces *autres contrées* où nous introduit Beethoven.

Un groupe d'auditeurs, pendant la première audition de la Septième Symphonie à Paris.

De nombreux commentaires pittoresques ou psychologiques, des « programmes » très détaillés ont également entouré la *Septième Symphonie* dès son apparition et ses premiers succès triomphaux. Avec la même netteté Beethoven a réagi contre *ces éclaircissements et interprétations* de son œuvre. Tragique ou « bacchique », patriotique, révolutionnaire ou encore, selon Wagner, « apothéose de la Danse » ? De toutes les Symphonies de Beethoven, la *Septième op. 92,* en la majeur, nous semble celle dont l'esprit demeure le plus ambigu, le plus troublant aussi. Nulle autre Symphonie n'est d'ailleurs à ce point tributaire de l'exécution, de la conception d'un chef d'orchestre. Les *tempi* notamment, dans lesquels elle est jouée, peuvent modifier du tout au tout son climat spirituel. Son sens défie toute exégèse et ne peut apparaître que dans la fugitive rencontre d'un interprète et d'un auditeur, en consonance... L'*Allegretto*, second mouvement, est le plus secret de l'œuvre, quoiqu'en apparence le plus simple. L'admirable thème reste toujours lui-même, obsédant ; il se développe en s'amplifiant, par cercles concentriques. Les variations le laissent intact, et le *Fugato* qui s'en empare semble lui aussi destiné à préserver constamment son visage. Mouvement de danse, ou poème de la plus indicible mélancolie ? L'indication *allegretto* elle-même est ambiguë. La poésie populaire allemande sait, depuis le Moyen Age, scander dans ce tempo précisément, et sur ces mètres simples, ses chansons les plus désespérées....

La *Septième* et la *Huitième* ont été composées presque en même temps, comme la *Symphonie op. 67* et la *Pastorale* ; comme celles-ci, elles sont profondément différentes l'une de l'autre.

La *Huitième Symphonie op. 93*, en fa majeur, a été terminée en octobre 1812, à Linz. L'œuvre a été écrite très rapidement, en quelques mois, mais a été sérieusement remaniée. Une introduction, prévue à l'origine, a été supprimée, et – cas très rare chez Beethoven – la coda a été rallongée de 34 mesures *après* la première exécution. Beethoven attaque donc d'emblée le premier thème de l'*Allegro*, une vive interrogation de tout l'orchestre à laquelle répondent d'abord les bois, puis toute la masse sonore. C'est ce caractère discursif qui domine le premier mouvement. A la place du mouvement lent rituel, un *Allegretto scherzando* déroule un thème plein d'humour, celui d'un canon burlesque, écrit au cours d'un joyeux dîner, en l'honneur de Mælzel, l'inventeur du métronome :

Au troisième mouvement, on voit réapparaître le *menuet*, depuis longtemps « laissé pour compte » par Beethoven. Mais il ressemble ici plus à une danse paysanne qu'à une danse de cour... Le mouvement final, *Allegro vivace*, débute pianissimo. Ces seize mesures d'intensité réservée constituent, en fait, encore un type d'introduction, fréquent dans l'œuvre de Beethoven. Avec d'autant plus de puissance éclatera la joie débordante du thème qui prendra possession de tout le mouvement.

Plus de dix ans s'écouleront maintenant, avant que la joie ne résonne de nouveau, transfigurée, dans la *Neuvième* – une joie à l'échelle du monde.

CONCERTOS

Le domaine symphonique recouvre, dans le sens que nous lui donnons ici, non point un « genre » dans l'étroite acception du terme, mais une forme d'expression – et une époque de la vie créatrice de Beethoven qui voit naître la plupart de ses grands édifices orchestraux : les Symphonies, les derniers Concertos et *Fidelio*, composé dans sa version initiale entre la *Troisième* et la *Cinquième*.

Dans le principe concertant qui oppose soliste et orchestre, Beethoven découvre les sources vives d'un dialogue poétique libre qui, tout en préservant la forme traditionnelle du genre, la fait oublier ; le Concerto beethovenien résonne pur de toute convention formelle. Ses dimensions temporelles et sonores sont, au reste, sensiblement élargies : conception symphonique des développements et des thèmes, de l'orchestre, de l'écriture pianistique elle-même, qui rivalise avec toute la masse sonore en un discours d'égal à égal. Avec ses premiers Concertos pour clavier, Beethoven veut surtout s'imposer comme pianiste. Mais si, comme il l'écrit à plusieurs reprises à son éditeur Hofmeister, il *ne donnait pas pour ses meilleures* ces œuvres composées extrêmement vite, pour un concert (le *Rondo* du *Concerto* en si bémol, en une nuit !), il fait déjà entendre dans l'*Andante* du *Troisième Concerto* en ut mineur, une voix d'une profonde ferveur, digne, dans ce qu'elle a justement de personnel, des *Andante* des concertos mozartiens. C'est avec le *Quatrième Concerto* en sol majeur que Beethoven achève de dépasser les limites d'un genre et d'une fonction consacrés. Dans le second mouvement, *Andante con moto*, il atteint un des sommets de son œuvre. Piano et orchestre y alternent dans un dialogue aux accents d'une gravité telle qu'aucun concerto n'en a jusqu'alors fait entendre, et où les silences mêmes deviennent des signes tout aussi éloquents que les sons.

De la même année (1806) date le *Concerto pour violon* en ré majeur, œuvre chaleureuse, pure de toute virtuosité gratuite. Dans le jeu thématique du premier mouvement s'insinue un motif rythmique de quatre accents qui constamment rappelle sa présence ; son expression la plus caractéristique est confiée aux timbales. Dans le *Larghetto* qui précède le *Rondo* aux rythmes bondissants, le dialogue du violon et de l'orchestre est comme improvisé, moment de poésie pure qui glisse entre rêve et réalité.

Dans le dernier *Concerto pour piano*, en mi bémol majeur (1809), l'écriture orchestrale et pianistique vise la puissance, l'éclat ; le piano, traité symphoniquement, rivalise avec l'orchestre. Le premier mouvement débute par une cadence du soliste – c'est encore une *introduction* beethovenienne, étonnante d'audace. Symphonique est non seulement la facture pianistique de l'œuvre, mais ses dimensions : presque 600 mesures pour l'*Allegro* dont le développement, dominé par le second thème, parcourt un immense cycle harmonique.

Le thème du *Rondo* se fait entendre alors que le temps paraît suspendu, à la fin d'un *Andante* méditatif. Une tenue des cors enchaîne les deux mouvements, le *Rondo* explose soudain, affirme ses vigoureuses arêtes rythmiques. Le thème s'appuie, en effet, sur une opposition rythmique fondamentale qui lui donne sa prodigieuse envolée :

A la pulsation ternaire de la basse s'oppose l'articulation binaire de la partie supérieure ; le point culminant dépasse le « temps fort », se place sur la seconde croche de la mesure suivante, projetant le thème toujours en avant, en un irré-sistible élan. Sa vitalité réside dans cette contradiction ter-naire-binaire des rythmes ; Arthur Schnabel la met en lumière d'une manière spectaculaire ; son célèbre accent sur la troisième croche du thème (↓) lui fut indiqué, raconte-t-il, par Mahler, alors que, jeune pianiste, il devait jouer le *Concerto* sous sa direction, à Vienne. A la veille de la première répétition, il avait longuement attendu le Maître, pour lire la partition avec lui. Enfin, Mahler entre en coup de vent, hurle à l'adresse du jeune homme le thème, avec un énorme accent sur la croche en question, et disparaît... Le disque [1] nous restitue cette interprétation rythmique surtendue.

FIDELIO

Cet opéra me vaudra la couronne de martyr, disait Beethoven de *Fidelio*. En effet, aucune œuvre ne lui coûta autant de travail et de soucis de tout ordre, et n'a subi autant de modi-fications ; néanmoins, il lui garda pendant toute sa vie un particulier attachement. Il n'existe pas moins de trois parti-tions de l'œuvre. La première, composée entre 1803 et 1805, d'après « Leonore ou l'amour conjugal » de Bouilly, subit un échec complet. Beethoven reprend immédiatement l'œuvre (1806), sur un livret allégé qui resserre l'action en deux actes. Il s'agit alors surtout d'un nouveau « découpage ». Ce n'est qu'en 1814, alors que le compositeur des Symphonies et des Quatuors se tait pour une longue période, qu'il prend la décision de remanier *Fidelio* de fond en comble. Non seule-ment il demande au poète Treitschke de transformer complè-tement le livret, *de restaurer les ruines d'un vieux château*, mais il reprend la partition elle-même. Des parties vocales, des détails d'orchestration, des morceaux entiers sont récrits, d'autres supprimés, de nouveaux ajoutés, tel le poignant *Adieu des prisonniers à la lumière*, à la fin du premier acte. La conclu-sion de l'œuvre, recomposée, est un de ses moments les plus saisissants ; chœurs et orchestre s'y opposent par grands blocs sonores, faisant pressentir dans leur écriture certains passages de la *Neuvième Symphonie*.

1. Les cinq *Concertos pour piano et orchestre* de Beethoven, par Arthur Schnabel (Columbia, « Gravures illustres »).

Quatre Ouvertures ont été successivement écrites pour *Fidelio*. La première, *Leonore I*, dans un style de libre improvisation en trois parties, ne fut jamais jouée en public du vivant de Beethoven ; il n'en était pas satisfait. *Leonore II*, très belle mais très rarement jouée, résonna lors des malheureuses premières représentations de 1805. Elle met l'accent sur le grand air de Florestan, « In des Lebens Frühlingstage ». *Leonore III*, la plus célèbre, fut composée pour la reprise de l'œuvre, en 1806. Aujourd'hui, il est traditionnel de la faire entendre au début de la seconde partie du deuxième acte. Puissamment architecturée, elle donne des exemples typiques de développements thématiques beethoveniens, d'une logique interne et d'un dynamisme irrésistibles. Quant à l'*Ouverture* de *Fidelio*, elle a été composée en 1814, lors du dernier remaniement de l'œuvre. Aucun des thèmes de l'opéra ne s'y retrouve : ce n'est pas une ouverture dans le sens classique du terme, mais bien une pure introduction symphonique, à travers laquelle le compositeur prend possession du monde sonore de l'œuvre.

Nous insisterons ici sur l'aspect le plus négligé de *Fidelio*, mais l'un des plus personnels de l'œuvre et le plus riche de découvertes – sa partition orchestrale. Dans *Fidelio* l'idée musicale et le climat dramatique se confondent dans l'expression instrumentale. L'orchestre n'est plus un élément « secondaire », assujetti aux voix ; il assume avec la même force que celles-ci le devenir musical et scénique. Il est d'une richesse et d'une précision admirables : clarté tranchante des sonorités, originalité des alliages instrumentaux, fidélité constante à l'expression dramatique. Dès l'*Ouverture* apparaît le rôle capital des instruments à vent. Il faut souligner particulièrement celui du hautbois, un des timbres les plus en relief de l'orchestre, un des instruments préférés de Beethoven. On peut comparer le tracé sonore du hautbois à celui du burin du graveur : même tranchant, même caractère définitif, indélébile pour ainsi dire, qui exige une absolue sûreté de la pensée. Dans *Fidelio*, le hautbois peut nous guider, instrument-pilote, à travers toute l'œuvre. Wagner a remarqué que Beethoven le rattache au personnage de Leonore-Fidelio (comme il le sera fréquemment par Wagner aux personnages féminins de ses opéras). Plus encore qu'instrument de caractère, le hautbois est pour Beethoven un instrument de relief musical.

A chaque instant l'orchestre de *Fidelio* découvre, si notre écoute y est sensible et attentive, de nouvelles ressources expres-

sives, des combinaisons inédites, des raffinements sonores prodigieux. Dans le grand quatuor du premier acte (Marcelline-Leonore-Jaquino-Rocco), les entrées de la flûte, puis du basson, enfin des cors, sont autant d'étapes du développement, une véritable « Durchführung » instrumentale partie de l'amalgame cordes-clarinettes. Dans la *Marche* dominent les couleurs sombres : timbales + violoncelles → contrebasses + contrebasson. L'écriture des cors est audacieuse, et leurs passages dans le récitatif du grand air de Leonore restent aujourd'hui encore un moment périlleux pour les exécutants. L'introduction du second acte et la scène du cachot contiennent les recherches instrumentales les plus originales – il faudrait reproduire ici des pages entières de la partition...

Si *Fidelio*, qui se concilie le « Singspiel » allemand et certains éléments plus proches par leur nature discursive du style français que du style italien, annonce le drame musical nouveau, ce n'est pas en raison de sa construction d'ensemble, ni des formes dramatiques mises en jeu, mais par la fonction capitale dévolue à l'orchestre dans le devenir scénique, et par l'intensité expressive immédiate de sa phrase vocale. Le grand air de Leonore est apparemment un air classique, selon le schème rituel du récitatif-andante-allegro ; mais il résonne avec un don irrésistible de convaincre, dans sa double vérité de drame et de musique. C'est dans ce contact instantané qui s'instaure par-delà toute convention et libère une nouvelle force, et dans les pouvoirs donnés à l'orchestre, que Wagner a pu voir dans *Fidelio* le premier drame musical moderne.

Steind. v. W. Santer.

Madame Schröder - Devrient,
Königlich Sächsische Hof-Opern-Sängerin,
als Fidelio.

Breslau, bei F. Karsch.

Von dem Magistrate der k: k: Haupt
und Residenz-Stadt Wien wird dem Herrn L.
von Beethoven über Einschreiten des Bürgerspitals zu...

[...]

Wien den 16ten November 1815.

[signatures illegible]

Jos. Perl, [...]
Magistratsrath

Cercles de métamorphoses

u lendemain de la *Huitième*, Beethoven, sou-
dain, se tait. Dix ans s'écouleront avant que naisse la dernière
Symphonie, et treize ans avant les Quatuors de la fin. Une
œuvre étrange très rarement jouée, les *Equale* pour quatre
trombones, dont les accents solennels et funèbres rappellent
les polyphonies espagnoles de la Renaissance, clôt en novembre 1812 une période de prodigieuse fécondité.

Rien n'est plus frappant que ce demi-silence de plusieurs
années. Il recouvre une époque de grande détresse humaine
dont les profondeurs nous demeurent impénétrables. Pendant
cinq ans nous ne saurons de Beethoven que ses cris de désespoir. *O Dieu ! Donne-moi la force de me vaincre moi-même !
Rien ne peut plus désormais m'enchaîner à la vie...* Atteint par
un mal qui le retranche du monde, atteint dans son âme aussi,
par un malheur dont il gardera le secret, Beethoven est hanté
par la pensée de la mort. Et pourtant il connaît alors le
sommet de sa gloire. En 1814, *Fidelio* a enfin triomphé,
la cantate *le Glorieux Moment* est exécutée au Congrès de
Vienne ; l'Allemagne reconnaît son plus grand compositeur.
Beethoven est fêté à la cour, et dans la rue les étudiants en
médecine et en droit l'acclament.

Diplôme de « citoyen d'honneur » délivré à
Beethoven par la ville de Vienne le 16 novembre 1815

Étranges années où la personnalité du compositeur semble se dédoubler : les voix profondes se sont tues, seul l'homme public vit et crée – des œuvres de circonstance, des œuvres pour gagner de l'argent. Ce sont *la Bataille de Vittoria*, l'*Ouverture Namensfeier* pour la fête de l'empereur, ce sont les *131 Chansons populaires* galloises, irlandaises, écossaises *op. 108*, transcrites et harmonisées à la demande de l'éditeur Thomson. Quelques belles œuvres vocales naissent : *An die Hoffnung*, *Meerstille* et *Glückliche Fahrt* sur les textes de Gœthe, *Résignation* – la seule œuvre composée en 1817 –, le *Chant élégiaque* dédié à son ami Pasqualati. Et un chef-d'œuvre, en 1816, parmi ses plus secrets : le *Liederkreis op. 98* sur des poèmes de Jeitteles, *A la bien-aimée lointaine*.

De ce cycle de mélodies, pendant qu'il le compose, Beethoven ne dira rien à personne. Le prince Lobkowitz en est le dédicataire officiel, et nous ne saurons jamais à qui Beethoven le destinait réellement. *Apprends à te taire, mon ami*, écrit-il dans son carnet. Le *Liederkreis* est un message d'amour. « Prends ces chansons que j'ai chantées pour toi, bien-aimée, chante ce qui me fut révélé sans le secours de l'art... »

« Ohne Kunst » – sans art ? Une des œuvres les plus inspirées de Beethoven, elle a été mûrie pendant de longs mois, et la première mélodie a été récrite huit fois : pour Beethoven, la vérité n'est pas révélation mais recherche inlassable. *A la bien-aimée lointaine* est un des premiers grands cycles de Lieder de la littérature musicale allemande ; il ouvre la voie à Schubert, aux vastes Liederkreise de Schumann. Les six mélodies qui s'enchaînent sans interruption semblent naître l'une de l'autre, reliées par des liens de tonalités (toutes majeures) :

Le chant et le piano sont tout aussi importants, tout aussi chargés d'expression l'un que l'autre. Dans le domaine harmonique, leurs rencontres sont d'une singulière beauté (second et troisième Lieder en particulier). Le dernier Lied reprend le thème du premier, d'abord comme un rappel lointain, puis

Dernier feuillet de la lettre à « l'immortelle bien-aimée »

de plus en plus fiévreusement et passionnément. Schumann...
mais on songe aussi – le langage est différent, mais le ton est
le même – à une autre lettera amorosa, à la gerbe de Lieder
envoyée par Wagner à Mathilde Wesendonck, qui préfigure
« Tristan ».

DERNIÈRES SONATES

De 1816 à 1822 apparaissent, année après année, les dernières *Sonates pour piano*, chefs-d'œuvre solitaires, et dans
les esquisses de la *Missa solemnis* qui mûrit lentement à
partir de 1818, leurs thèmes se glissent et se profilent comme
des ombres. Avec elles la sonate en tant que forme stable,
définie par une époque et une communauté stylistiques, entre
dans sa longue phase crépusculaire. Ce n'est pas une rupture
brutale, ni une création ex nihilo de formes nouvelles qu'accom-
plissent les dernières Sonates. Du fameux « allegro de sonate »
Beethoven maintient le principe fondamental – l'antagonisme
d'éléments opposés, leur affrontement constructif dans le
développement musical – principe proche de sa nature,
adapté à sa forme d'esprit dès lors qu'il le plie à sa volonté,
à sa liberté, à ses démesures personnelles. Libre à nous d'appeler forme-sonate ces formes singulières où se perdent les
traces de tout schème, et où parfois les éléments antagonistes
eux-mêmes ne sont plus que les aspects d'une idée unique.
Mais c'est surtout la sonate entière, dans l'ordonnance
et la nature rituelles de ses parties ou mouvements, que
Beethoven remet en question. Après l'avoir minée de l'intérieur,
dès ses premiers chefs-d'œuvre, après avoir fait peu à peu
apparaître ses ordonnances comme vides de sens au regard de
ses exigences poétiques personnelles, voire comme inconci-
liables, il consacre avec ses dernières sonates un état de fait,
l'aboutissement d'une longue trajectoire. Destruction et
création ne sont pas ici suppression d'une convention,
promulgation d'une nouvelle loi : Beethoven nie un rite en y
introduisant le doute, le dépasse en le condamnant à la
réinvention perpétuelle.

En 1816 Beethoven compose la *Sonate pour piano op. 101*.
Tout souvenir d'un ordre institutionnel en est banni. L'*Allegro*
initial devient un *Andante*, l'Adagio tripartite habituel se

transforme en une courte méditation de vingt mesures, et le classique Rondo cède la place à une grande construction polyphonique. L'évolution harmonique du premier mouvement est la source de sa force expressive. Constamment présente, la tonalité fondamentale est constamment en suspens. Jamais, sauf à la fin, la tonique, la majeur, n'est directement touchée : mais c'est elle qui ordonne, invisible et présente, le glissement subtil du temps. Le second mouvement, *Alla marcia*, est dominé par une cellule rythmique unique ♩♪ qu'une polyphonie serrée fait apparaître à tous les registres. Son irrésistible progression – surtout dans la partie centrale, qui fait entendre le même rythme, augmenté ♩·♪ – avance sans égard pour les rencontres harmoniques dissonantes qu'elle provoque. L'*Adagio* étrangement bref, méditation sur une admirable phrase mélodique, s'ouvre comme une faille profonde. Mais un rappel du premier mouvement, pilier d'un pont suspendu en la mémoire, renforce l'unité de l'œuvre et introduit l'*Allegro* final. Tendu, autoritaire (*avec résolution*, marque Beethoven), le dernier mouvement se développe en imitations polyphoniques serrées qui se transforment en un *fugato* puissamment architecturé. Son élément thématique principal correspond à un motif exposé dans le premier mouvement ; un nouveau lien s'établit ainsi entre les parties de l'œuvre. La forme fuguée apparaît dans cette sonate comme une forme poétique nouvelle qui, dans la *Sonate op. 106*, dans la *Sonate pour violoncelle op. 102 n° 2* et dans la *Grande fugue pour archets op. 133*, atteindra sa plus haute signification. Avant d'aborder les problèmes capitaux posés par ces œuvres, il faut s'arrêter brièvement sur l'aspect instrumental de l'*op. 101*, de l'*op. 106* : quels étaient les pianos pour lesquels ces œuvres ont été écrites ? *Sonate für das Hammerklavier* – pour le piano à marteaux – indique Beethoven sous le titre de chacune d'elles, affirmant ainsi qu'il destine ces œuvres aux instruments viennois les plus récents. En effet, depuis les claviers du célèbre Stein, père de la « mécanique viennoise », les pianos à marteaux ne cessent de se perfectionner. Ceux de Streicher, héritier de Stein, possèdent une puissance de résonance et une étendue beaucoup plus grandes. Beethoven, ami de Streicher, lui avait lui-même indiqué ce qu'il attendait de ses pianos sur lesquels il voulait *pouvoir chanter*. Ce sont ces Hammerklaviere « dernier modèle », provoqués dans une certaine mesure par les exigences du compositeur, dont Beethoven exploite toutes les ressources dans ses nouvelles

*Piano de concert de Beethoven
construit par Graf, à Vienne.*

*Salle d'exposition des pianos Streicher, à Vienne
(Lithographie de Sandmann).*

Sonates. A leur tour, les instruments nouveaux ont stimulé l'imagination du compositeur ; le grand piano Broadwood que Beethoven reçoit à l'époque de l'*op. 106*, d'une sonorité encore plus puissante, n'est pas étranger à l'écriture pianistique fulgurante de l'œuvre. (Dans le logis de Beethoven de la Mölkerbastei, à Vienne, aujourd'hui transformé en musée, se trouve un piano Streicher qui ne lui appartint pas, mais qui est de la même époque. Nous l'avons essayé malgré les protestations du vieux gardien des lieux. L'étendue et la puissance sonore des basses sont surprenantes, la mécanique est d'une réponse rapide, permet une souplesse de nuances considérable. Au « double échappement » près, inventé par Erard quelques années plus tard, en 1823, c'est déjà un instrument moderne.)

Hier encore considérée comme un monstre, la *Sonate op. 106*, composée en 1817-1818, apparaît à notre époque comme un des plus grands chefs-d'œuvre de Beethoven, et de la musique. Elle contient tous les aspects d'un génie moderne ; à étudier de près cette synthèse, un livre entier ne suffirait pas...

67

Le premier mouvement est un *Allegro* aux proportions gigantesques. Ce sont ces proportions qui expliquent la répétition de sa partie initiale, de moins en moins fréquente chez Beethoven. Deux thèmes opposés, un développement serré en fugato, une « reprise » profondément transformée, une conclusion longue et tourmentée – telle est l'ossature formelle, classique si l'on veut, du mouvement. Mais les forces mises en œuvre sont d'une puissance inouïe. Jamais l'espace dans lequel elles agissent n'a repoussé aussi loin ses frontières. L'étendue sonore où se meuvent les constellations de l'œuvre devient une notion absolue dont l'octave en tant que module souverain des rapports sonores, n'est qu'un sous-multiple. Dès les esquisses, Beethoven cherche à s'approprier cette totalité de l'étendue, à embrasser ses extrêmes :

Le domaine de l'*Allegro* se situe entre le cataclysme et le silence. Ses éléments peuvent à tout moment atteindre et confronter leurs états-limites, décupler leur puissance ou disparaître. Musicalement, chaque événement tire de chaque autre un pouvoir de renouvellement total. Prisonnier d'un univers qui, dans les évolutions les plus fines ou dans les oppositions les plus brutales, reste ouvert en permanence à ses extrêmes possibilités, l'auditeur sans cesse prévoit l'imprévisible, dans un corps à corps exaltant avec le temps. La matière sonore elle-même, devenue fonction architecturale et dramatique, évolue aux limites de ses ressources, en métamorphoses raffinées ou en contrastes saisissants. Des régions les plus éloignées du clavier Beethoven tire les couleurs les plus fantastiques : audaces de l'écriture instrumentale qu'aujourd'hui encore on qualifie d' « erreurs », que l'on attribue à la surdité du compositeur...

La sonorité joue un rôle tout aussi important dans le *Scherzo*, dans sa partie médiane en particulier, là où les étincelles rythmiques du début se transforment en une pulsation continue, haletante. Le thème véritable, ce sont les mouvements du timbre eux-mêmes, les fluctuations de la matière sonore. C'est le dernier Scherzo des Sonates de Beethoven ; ses traits se disloquent dans la vitesse vertigineuse, c'est son fantôme qui passe ici. Le Scherzo, naguère « Scherz », plaisanterie, devient cauchemar.

Deux sons, que Beethoven fit rajouter alors que l'œuvre était déjà gravée, forment la porte étroite par laquelle nous pénétrons dans l'*Adagio*. Deux simples sons de l'accord de tonique et toute notre communication est transformée :

Lorsque Ries, chargé de la publication de l'œuvre, à Londres, reçut l'ordre de changer le texte, il crut d'abord que Beethoven était devenu fou. Mais lorsqu'il comprit l'intention du compositeur, « jamais des notes n'ont eu autant d'effet et de puissance », dit-il. « Je conseille aux amateurs d'essayer le commencement de cet *Adagio* sans ces notes, puis de le reprendre avec elles... » Cette expérience est toujours à refaire.

L'*Adagio sostenuto* est probablement le plus beau mouvement lent de sonate jamais écrit. Son expression tourmentée - *appassionato e con molto sentimento* – atteint une grandeur, une noblesse qui lui donnent sa portée universelle : aucune musique n'est plus bouleversante dans ses accents humains – mais aucune n'est moins « confession », moins enchaînée à un moi sentimental. Immense phrase, souffle ininterrompu, l'*Adagio* est la variation perpétuelle d'une seule hantise, il reflète à l'infini un seul visage musical. Dans ces transfigurations, on croit parfois entendre la musique d'époques postérieures. Ainsi, l'écriture presque chorale du début devient la mélodie douloureusement sensible de Chopin :

La plus étrange métamorphose se trouve dans la partie centrale. Une chaîne sans fin de figures mélodiques en triples croches emprisonne les points lumineux du thème ; comme si Beethoven était lui-même prisonnier de cette spirale, il ne pourra s'y arracher qu'après avoir épuisé les innombrables permutations des quelques sons qui forment ses anneaux. La fin du mouvement est d'une douceur crépusculaire. Tout s'obscurcit, le thème passe une dernière fois, en souvenir.

Entre l'*Adagio* et la *Fugue* finale s'étend, comme un no man's land, une des pages les plus hallucinantes de toute l'œuvre de Beethoven. Transition, introduction, point d'arrivée, point de départ ? Tout cela, sans doute, et sans doute rien de cela. On croit y voir, un instant, l'improvisateur, l'image de la main qui tâtonne dans l'obscurité, cherchant une issue. Mais rien n'est improvisé dans ce labyrinthe ; l'esprit a façonné avec une fantastique précision le moindre événement, en a mesuré le poids, le grain, la durée, a distribué et enchaîné les structures dans l'espace et le temps. Émergeant lentement de l'informel, ce rêve éveillé s'incarne tour à tour dans des archétypes divers de l'écriture musicale, visions de styles surgies de la mémoire. Des chemins s'ouvrent, et s'enlisent aussitôt, départs avortés, revenant sans cesse en arrière vers une même constellation constamment remémorée, flottante dans un temps sans commencement ni fin...

De même que cette page visionnaire, la *Fugue* finale de l'*op. 106* dépasse la catégorie de « mouvement de sonate ». Fantastique aventure dans le style contrapunctique qui marque les dernières œuvres de Beethoven, elle n'est pas un phénomène isolé, elle est indissociable de son immédiate préfiguration, la *Fugue* de la *Sonate pour piano et violoncelle op. 102 n° 2*, et de la *Grande fugue pour Quatuor à cordes op. 133*. Nous ne pouvons nous arrêter ici qu'aux problèmes majeurs communs aux grandes œuvres polyphoniques de Beethoven, leur analyse étant impensable dans le cadre de cet ouvrage. Car si les instruments conceptuels qui permettraient une vivisection de leurs réseaux de forces commencent à peine de se préciser aujourd'hui, ils n'existent pas encore à l'état de termes musicaux. Et ce n'est évidemment pas avec les termes des traités de fugue qui statueraient tout au plus sur la conformité ou la non-conformité de l'œuvre par rapport à un théorique *squelette musical* (comme disait Beethoven), que l'on pourrait pénétrer dans la structure vivante, les problèmes cruciaux, le drame intérieur enfin, de ces édifices.

Dans les dernières Sonates de Beethoven, où la succession rituelle de mouvements codifiés est bouleversée par la volonté d'unité psychologique et structurelle, où les formes s'interpellent de puissance à puissance et où règne la plus haute tension (imagine-t-on l'*op. 106* se terminant par un « rondo » ?), la fugue apparaît, certes, comme une forme poétique nouvelle, et sans doute comme le moyen par excellence de porter en avant, de la façon la plus implacable une idée. *Écrire une fugue n'est pas difficile*, dit Beethoven à son ami Holz, *j'en avais fait par dizaines, en mes années d'études. Mais l'imagination réclame aussi ses droits, et il faut faire entrer, aujourd'hui, dans cette forme ancienne, un véritable élément poétique.* Or des fugues comme celles des *op. 102, 106* et *133,* dans le même temps qu'elles répondent à cette exigence beethovenienne, la dépassent. Leur puissance ne réside pas principalement dans l'intention expressive directe, explicite, ni dans leur thématique, par exemple, dont la « mise en fugue » serait la glorification suprêmement architecturée. Force expressive il y a – faut-il le dire – titanesque, dans ces œuvres qui littéralement annihilent toute autre pièce de musique jouée à leur suite. Mais elle réside dans le conflit dont ces œuvres sont le théâtre, dans l'affrontement de leurs forces internes irréconciliables – dans la confrontation dramatique entre une forme architecturale antérieure et une poétique aussi neuve que celle de Beethoven. Beethoven n'échappe pas à l'obsession de l'écriture la plus rigoureuse dont la fugue, à une époque donnée, fut l'accomplissement suprême – obsession qui a hanté tous les grands musiciens au temps de leur maturité. Mozart très significativement, plus tard Schumann, Brahms en sont des exemples parmi les plus importants. Mais si après eux beaucoup de compositeurs – tel notamment Mendelssohn – ont adapté leur langage à la fugue, marquant volontairement ou involontairement le début d'un néo-classicisme, Beethoven, lui, refuse d'y adapter le sien, c'est la fugue qu'il veut plier à son propre langage. C'est un musicien d'aujourd'hui, appelé avec sa génération à vivre et à résoudre les termes modernes d'une équation entre formes et langage, Pierre Boulez, qui a écrit les lignes les plus pénétrantes sur ce sujet [1]. « Chez Beethoven en particulier, écrit Boulez, la rencontre ne va pas sans heurts, sans chocs violents : car les relations

---

1. Pierre Boulez : « Auprès et au loin » (Cahiers de la Compagnie Renaud-Barrault, Julliard, 1954; repris dans *Relevés d'apprenti*, Éd. du Seuil, 1966).

harmoniques ne s'accommodent pas toujours aisément des intervalles employés contrapuntiquement ; cette musique « rigoureuse » – expression la plus pure d'un style, d'une écriture – devient aussi musique éminemment « dramatique ». (...) Ce qui précisément donne aux fugues de Beethoven leur caractère exceptionnel, ce qui fait d'elles des créations uniques et inégalées, c'est cette confrontation périlleuse entre des rigueurs d'ordre différent qui ne peuvent qu'entrer en conflit ; aux frontières du possible, elles témoignent de l'hiatus qui va s'accentuant entre des formes qui restent le symbole du style rigoureux et une pensée harmonique qui s'émancipe avec une virulence accrue. Quand le drame de cet hiatus est ressenti d'une façon aussi aiguë qu'il l'a été par Beethoven, alors cela donne la fugue de l'*op. 106*, la *Grande fugue* pour archets, entre autres. » Ajoutons-y l'*Allegro fugato* de la *Sonate pour violoncelle op. 102 n° 2*, qui préfigure la fugue de l'*op. 106* jusque dans les détails de son architecture : même épisode contrastant, interpolé au centre du développement, mêmes tronçonnements, inversions, éclatements thématiques, même « dramatisme » de la dissonance entre les dimensions harmoniques et contrapuntiques. Même irruption spectaculaire du trille, enfin, sur la fonction de dominante, dans la conclusion (dans l'*op. 106* le trille, inclus dans le sujet, possède de plus une fonction autonome de timbre très marquée, il constitue en quelque sorte la « tête chercheuse » du sujet).

Aucune de ces œuvres ne fut comprise du vivant de Beethoven. Le compositeur savait bien, d'ailleurs, qu'il créait pour l'avenir, lorsqu'il disait à son éditeur, en lui envoyant la *Sonate op. 106* : *Voilà une sonate qui donnera de la besogne aux pianistes lorsqu'on la jouera dans cinquante ans.* Plus laconiquement encore, et plus ironiquement, à Schindler qui lui déclarait ne pas bien comprendre le *Fugato* de l'*op. 102*, Beethoven répondit : *Ça viendra.*

Dans la *Sonate pour piano op. 109*, composée en 1820, cette tension insoutenable se relâche un peu. Beethoven traite le premier mouvement de l'œuvre avec une suprême liberté, alternant plus que des thèmes, des tempi ; tout aussi libres sont les *Variations* finales, dont la dernière fait entendre une démultiplication progressive et rigoureuse des durées, aboutissant à leur pulvérisation totale dans le trille. Ce sont alors non plus des valeurs rythmiques, mais les particules élémentaires d'un monde sonore nouveau qui évoluent comme timbres autour de la « ligne d'horizon » constituée par la fonction harmonique suspendue sur la dominante. Le retour du thème affirme la tonique de cette « cadence de formes ». Le thème est *presque* semblable à lui-même ; seule sa couleur, dans les registres graves, s'est assombrie : l'image porte maintenant, à peine sensibles, les traces de son long voyage à travers le temps... La *Sonate op. 109* s'achève dans la paix, dans l'acceptation. Tout autre est la *Sonate op. 110*, en la bémol majeur, composée en 1821, alors que Beethoven relève d'une longue et pénible maladie ; dans le double *Arioso* et le diptyque de la *Fugue,* qui constituent son mouvement final, elle oppose symboliquement l'état d'extrême accablement et l'élan vers la vie : *perdendo le forze - di nuovo vivente.* Nous nous arrêterons sur ce mouvement complexe, le plus important de l'œuvre, forme totalement nouvelle en tant qu'ensemble, où le chant poignant et l'édifice polyphonique s'imbriquent, s'ancrent l'un dans l'autre, indissociables :

Un grave récitatif ouvre cet univers de l'alternance, il atteint son point culminant sur une note répétée vingt-six fois qui s'accélère, s'amplifie, s'éloigne, disparaît... Le chant de lamentation – *Klagender Gesang* – s'élève, une des pages les plus bouleversantes de toute la musique. Or là non plus l'art de Beethoven n'aura pas été cette révélation immédiate et miraculeuse dont le romantisme a accrédité le mythe. Beethoven arrache ce chef-d'œuvre au prix de longs tâtonnements. « Cœur » ou « esprit »? Ce dilemme que nous posons trop souvent à la création artistique est nié par l'acte créateur indivisible dans lequel se confondent l'inspiration et l'esprit ordonnateur, la révélation et le choix. La beauté inspirée de l'*Arioso* a été conquise dans la recherche. Les esquisses en témoignent :

Pressentie déjà, mais cachée par les mauvaises herbes d'un style ornemental *(a)*, la mélodie rejette peu à peu tout ce qui lui est étranger *(b)*, se dépouille totalement *(c)*, pour trouver enfin son état définitif... *(d)*.

Au thème du premier *Arioso* il faut confronter celui du second, qui montre non la variation mais la corrosion du visage musical lorsqu'il émerge de nouveau, aliéné par son passage du passé au présent. Entre passé et présent, le premier volet de la *Fugue* a tenté une délivrance, conduisant son thème de quartes ascendantes, à travers sa phase exponentielle dominée par la tonalité principale, vers un point culminant, vers la lumière. Brisé au sommet, l'élan retombe abruptement. *Perdendo le forze, dolente* : des silences rongent maintenant le chant, le souffle est saccadé, haletant :

A la fin s'élève un cri de révolte, dix accords répétés qui lentement accroissent leur puissance et leur masse, jusqu'à l'intolérable. Sursaut de la volonté, instant dramatique suprême de l'œuvre ; à l'autre versant de cette montagne sonore surgit de nouveau la fugue, renversée *(l'inversione della fuga – poi a poi di nuovo vivente)*. Son étape modulatoire fait entendre l'augmentation, la diminution, enfin la double diminution rythmique du thème. Le resserrement des durées est maîtrisé par un élargissement du tempo qui assure une progression continue, sans rupture. *Poi a poi più moto* – au point culminant de cette accélération l'œuvre s'achève sur une affirmation triomphante.

Lorsque Schindler demanda à Beethoven pourquoi il n'avait pas écrit un troisième mouvement dans la *Sonate op. 111*, le compositeur lui répondit avec détachement – et non sans quelque mépris : *Je n'ai pas eu le temps.* Que répondre d'autre à une question aussi grotesque ? Ainsi, c'est dans l'*Arietta* à variations, second et dernier mouvement de l'œuvre, que Beethoven prend congé de la sonate pour piano, et que cette forme cesse de se reconnaître telle qu'elle fut jusqu'alors. L'*Allegro con brio*, premier mouvement, s'ouvre par une spectaculaire introduction qui par ses trois premières structures – triple bond propre à Beethoven – prend possession de l'auditeur. Le lien organique entre l'introduction et l'*Allegro* proprement dit est un lien de fonctions (et non, comme on l'a souvent indiqué, de « motifs » soi-disant communs, déduits mécaniquement d'un tronçon de la gamme d'ut). L'introduction est l'antécédent d'une gigantesque cadence, projetée à l'échelle de la forme, qui prend l'accord de septième diminuée, expression de l'incertitude, comme point de départ. Dans l'*Allegro* elle trouve sa définitive résolution. *Les effets les plus étonnants que l'on attribue au seul génie du compositeur*, écrit Beethoven à un neveu d'Albrechtsberger, *ne sont souvent obtenus que grâce à la mise en œuvre judicieuse de l'accord de septième diminuée.* Mais c'est, on s'en doute, précisément ce « judicieux » qui implique le génie...

L'*Allegro* est dominé par son puissant thème central. A peine peut-on parler de « seconde idée », de « développement » (comme dans la *Sonate op. 110*, celui-ci n'a pas vingt mesures), de « reprise », au sens de la forme-sonate. Le schème n'est, dans cette architecture monolithique, qu'une lointaine référence ; l'*Allegro* est en réalité un seul immense développement. Dans sa conclusion apaisée se prépare le climat de l'*Arietta*. Inutile de chercher là aussi des analogies d'intervalles, de les interpréter symboliquement ; c'est par la tonalité d'ut majeur – celle de l'*Arietta* – et par une figure rythmique commune que nous passons, presque sans solution de continuité, du premier au second mouvement.

L'*Arietta* de l'*op. 111* échappe au cadre de la sonate. Il est nécessaire de la placer dans une vue d'ensemble du domaine des grandes Variations, parmi d'autres chefs-d'œuvre qui s'éclairent les uns les autres. Les Variations de Beethoven suivent une longue évolution ; pour les aborder, il faut revenir en arrière.

Dès les premières œuvres de Beethoven, la Variation s'affirme comme une des formes les plus proches de son esprit, de sa nature. Sans doute le genre est-il alors en vogue, et la première œuvre éditée du compositeur adolescent, les *Variations sur une marche de Dressler*, fut-elle déterminée autant par le goût de l'époque que par le choix personnel. Mais toute l'œuvre beethovenienne confirme une inclination pour cette forme de l'invention. Entre les variations de la *Sonate pour violon et piano op. 47*, une de ses premières grandes réussites dans ce domaine, et les *Variations sur un thème de Diabelli op. 120*, les variations de la *Sonate pour piano et violon op. 96* celles du *Trio* dit de l'archiduc, celles du *Dixième Quatuor*, celles de la *Sonate op. 111* sont autant de jalons d'une aventure sans précédent de l'esprit créateur.

Dans la *Sonate à Kreutzer op. 47*, composée en 1803, *l'Andante con variazioni* peut être considéré comme un modèle très pur de la variation « figurative ». Si l'on prend ce terme non dans son acception musicale courante (qui désigne – très vaguement d'ailleurs – une forme classique de la variation déjà sérieusement mise en question par Mozart), mais dans le sens que lui donne la peinture moderne, un des traits essentiels de l'évolution beethovenienne peut vite apparaître. En effet, c'est d'abord la ressemblance au modèle initial, préservée tout au long du mouvement, qui caractérise les variations de l'*op. 47*. Dans la première variation, le thème, presque semblable à lui-même, est exposé au piano, l'élément ornemental est confié au violon ; dans la seconde, la situation est inversée : le violon déroule le thème, orné, le piano se limitant à un discret accompagnement. Les rôles sont partagés dans la troisième, le thème se schématise davantage, la métamorphose est plus sensible ; la quatrième variation, après un retour au thème, s'épanouit dans une conclusion très schumannienne et s'estompe dans un climat de recueillement. Mouvement d'une belle perfection, sa force expressive est cependant dépassée par les autres mouvements, par le *Presto* notamment, vertigineux, passionné.

Plus profondes sont les transformations du thème dans les Variations de la dernière *Sonate pour piano et violon op. 96*, écrite dix ans plus tard ; elles constituent d'ailleurs le point culminant de l'œuvre. Ici, ce n'est plus le contour qui change, mais toute la structure du modèle, dont les relations internes

« *Si l'on prend le terme de figuratif dans le sens que lui donne la peinture moderne...* »
Mondrian, Arbre, 1910/1911.

constituent seules le lien entre ses successives interprétations. Les rappels explicites du thème alternent avec ses aspects éloignés ; les changements de tempi, les brusques arrêts et les silences, très beethoveniens, caractérisent l'œuvre, une des plus personnelles de cette époque. C'est à regret que nous nous limitons, dans le cadre de cet ouvrage, à ces seuls aspects, à ces seules œuvres parmi les *Sonates pour piano et violon* de Beethoven. Et c'est aux Variations seules que nous nous arrêterons dans le grand *Trio op. 97*, dit *Trio de l'archiduc*, qui en constituent le moment le plus significatif.

Entre la variation « physique », qui modifie les contours d'un thème, et celle, qu'on peut appeler « chimique », qui attaque en profondeur sa substance même, l'*Andante* du *Trio op. 97* représente une étape très importante. Dans la première variation, tous les instruments semblent « accompagner » quelque chose – mais quoi ? C'est l'ombre du thème, qui peu à peu s'épaissit dans la trame, émerge dans notre conscience. De même dans la seconde variation où nous retrouvons, dans un développement purement linéaire, à la fois ses caractères mélodiques et ses changements harmoniques. Dans le champ de contrastes rythmiques (doubles croches – triolets) de la troisième variation, le thème se devine plutôt qu'il ne se découvre, à travers ses harmonies. Ce sont ses durées, sa périodicité caractéristique qui se transforment dans la quatrième variation ; le temps y apparaît beaucoup plus étale, en longues plages. La cinquième joue un rôle de reprise ; pourtant c'est celle où les liens apparents avec l' « original » sont presque complètement abandonnés. Le thème est disloqué, dissous, absorbé, émergeant çà et là comme en lambeaux de brouillard. Il éclate à la fin, de nouveau reconnu, accueilli chaleureusement par les trois instruments, puis s'éloigne, paisiblement.

Le *Dixième Quatuor à cordes op. 74* est de deux ans antérieur au *Trio de l'archiduc*. Deux de ses mouvements sont en forme de variations, l'*Adagio* et l'*Allegretto* final : deux aspects de ce domaine, l'un implicite, dans l'*Adagio*, l'autre explicite, dans les six *variazioni* de l'*Allegretto*. Dans le mouvement lent, proche par sa conception de celui du *Quatuor op. 59 n° 1*, la « variation perpétuelle » d'une idée se développe en spirale, sans rupture. C'est cette forme que Beethoven réserve aux instants les plus graves, les plus secrets de sa musique. Elle unit la permanence obsédante et la perpétuelle transfiguration d'une idée – ou d'un rêve.

« *L'équation entre le souvenir du thème et sa distorsion dans le présent en marche...* »
Mondrian, l'Arbre argenté, 1911.

Beaucoup plus innocentes semblent les variations de l'*Allegretto* final : mais elles sont peut-être plus significatives encore. Dans ces variations, brusquement Beethoven « décroche » du petit thème populaire qui leur sert de prétexte, et brosse, en six structures, un tableau totalement « non figuratif ». La démarche est radicale, toute ressemblance de surface avec le modèle est abolie. Une série de conventions, dont chacune est valable pour une variation donnée, organise la composition avec une extrême rigueur : attaques dans la 1re variation (staccato intégral, pas une note liée) ; ligne mélodique, noyée dans la trame, dans la variation II ; accents systématiques à contretemps dans la variation III, sur une cellule rythmique articulée dans tous les sens ; phrasé à périodes asymétriques dans la variation IV ; figure rythmique unique ♩ ♪♪♪ pour la variation V ; périodes irrégulières encore, pour la variation VI. Chacune de ces clauses s'applique intégralement et uniformément à la variation qu'elle régit : pas une note n'y échappe. Épure d'architecte, incursion aux frontières d'un domaine, les variations finales du *Dixième Quatuor* sont une préfiguration, et sans doute une clé des *Variations Diabelli*.

La même rigueur, la même loi d'un principe unique fibrant intégralement chaque variation se retrouvent dans les métamorphoses de l'*Arietta* de la *Sonate op. 111* à laquelle maintenant nous revenons. Mais ce sont ici des métamorphoses beaucoup plus complexes, des relations beaucoup plus profondes et significatives. Si l'*op. 74* va très loin dans sa vision nouvelle de la variation, l'*op. 111* va beaucoup plus loin encore, dans l'ordonnance totale de l'œuvre et de ses pouvoirs expressifs. Tout d'abord, son thème – cette *Arietta* si merveilleusement belle – trace les frontières de ses transfigurations, dicte les conditions exceptionnelles de son devenir : dans ces variations se rejoignent, en équilibre, le dépassement du thème et sa miraculeuse permanence. Surtout, les variations de l'*Arietta*, qui s'enchaînent sans solution de continuité, apparaissent selon un ordre significatif, profondément nécessaire, qui est l'âme même de l'œuvre. Ce qui varie, au niveau de la forme entière, c'est le degré de la métamorphose, l'équation entre le souvenir du thème et sa distorsion dans le présent en marche. Cette courbe sinueuse et discontinue, oscillant entre le connu et l'inconnu, entre la ressemblance et l'étrangeté, est la respiration de l'œuvre, le rythme vital de son devenir.

Avec chaque variation, le temps est de plus en plus dense, et l'unité de durée, de plus en plus brève : double croche dans les premières variations, triple croche (à 12/32) dans la troisième. Dans ces groupements rythmiques changeants, le rythme fondamental du thème demeure cependant, de plus en plus démantelé, démultiplié, mais d'autant plus fortement marqué en ses points d'appui essentiels par le jeu des durées, des registres, des accents. Ainsi, la cellule mélodique initiale est réduite à son essence : rythmique.

Ce sont, dans des champs harmoniques identiques, des variations de rythmes qui s'assujettissent toutes les dimensions du temps musical. Le silence, dans la IVe variation, devient à son tour facteur rythmique agissant, tandis que les durées se morcellent jusqu'à devenir molécules d'un son continu qui, dans le grave, dans l'aigu, subit des métamorphoses d'une extraordinaire beauté. Dans ce ruissellement où se sont dissoutes les arêtes rythmiques des précédents états du thème, émerge de nouveau l'élément mélodique. Sur le fond du trille, ultime aspect de la matière sonore, le rappel du début du thème se fait entendre à travers tout l'espace. Enfin, c'est le thème tout entier qui revient, comme un pays retrouvé. Est-ce une « reprise » ? Après sa longue pérégrination il réapparaît dans un monde sonore totalement transfiguré. Dans les bruissements des trilles, où harmonies et timbres ne forment qu'une seule réalité mouvante, résonne la dernière variation mélodique du thème, très simple et très merveilleuse.

Les *Trente-trois variations sur un thème de Diabelli op. 120* ont été écrites en 1823, alors que le compositeur, qui vient de terminer la *Missa solemnis*, travaille avec acharnement à la *Neuvième Symphonie*. C'est la dernière grande œuvre de piano de Beethoven, la plus vaste qu'il ait jamais composée et, avec l'*op. 106*, la plus visionnaire : sa modernité aujourd'hui encore demeure stupéfiante. L'approche de cette œuvre à travers les notions traditionnelles de formes musicales connues et classées, à travers la « forme variations », s'avère absurde. C'est la raison pour laquelle l'étude de cette œuvre a été plus ou moins esquivée dans la plupart des ouvrages sur Beethoven ; c'est aussi la raison pour laquelle l'étude brève que Vincent d'Indy, dans son « Traité de composition », réserve à ce qu'il appelle sereinement « ce petit chef-d'œuvre », apparaît beaucoup moins féconde que celle que lui consacre Romain Rolland [1]. D'Indy l'aborde comme un objet connu, d'emblée intégré dans un musée des formes ; à travers son esprit ouvert à l'étonnement, Romain Rolland, en revanche, découvre une œuvre inouïe.

Qu'est-ce, tout d'abord, que cette fameuse valse, composée par l'éditeur Diabelli et proposée par lui à plusieurs compositeurs (Schubert entre autres) comme thème à variations ? Est-elle « bonne », est-elle « mauvaise » musique, et comment Beethoven arrive-t-il, « à partir d'elle », à ce gigantesque chef-d'œuvre ? Faux problèmes : la valse de Diabelli, dans l'œuvre de Beethoven, n'existe tout simplement pas. En tant que variations « sur un thème de Diabelli », l'œuvre est un magistral

---

1. Quelle que soit la portée actuelle de son interprétation de Beethoven, littéraire, essentiellement psychologique, voire allégorique, et que l'on souscrive ou non aux images tourmentées de son langage poétique, Romain Rolland est l'un des rares qui aient pénétré la signification moderne des *Variations Diabelli* et eût l'audace de leur consacrer un chapitre de son ouvrage monumental sur Beethoven. C'est à lui que revient, dans la littérature musicale française, l'immense mérite d'avoir pour ainsi dire redécouvert cette œuvre jugée monstrueuse et incompréhensible par le grand public. Pour nous, c'est ici l'occasion précise de tirer bien bas notre chapeau à l'auteur des « Grandes époques créatrices ».

bluff... Beethoven hésite tout d'abord à répondre à la proposition de l'éditeur – le jeu ne lui paraît pas valoir la chandelle. Puis tout à coup il accepte ; il semble découvrir que le thème est un thème rêvé – il découvre son anonymat. On a appelé ce thème « Monsieur tout-le-monde » : en effet, ce qui en lui séduit Beethoven, c'est son ossature harmonique réduite à la plus simple des formules (formule que la musique « légère » utilise avec bonheur jusqu'à nos jours). Passant outre la maigre substance musicale du thème, négligeant systématiquement ses quelques traits individuels, Beethoven s'approprie une solide carcasse – celle d'un archétype harmonique pur – symétriquement découpé en deux fois seize mesures. Dans ce champ d'unité aussi puissant qu'élémentaire, qui restera inaliénable à travers toute l'œuvre, Beethoven n'a plus qu'à lâcher les brides de son imagination.

Démontons rapidement cette carcasse. Le « thème » – désormais entre guillemets – se présente ainsi à Beethoven :

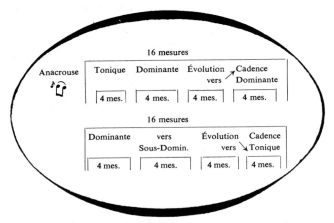

Ce que le compositeur en retient se résume ainsi :

1. Les fonctions harmoniques générales.

2. Leur répartition symétrique dans la topographie du temps (nombre de mesures, 16 + 16, toujours respecté, à quelques rares exceptions près).

3. L'apparente réversibilité « en miroir » des deux volets (tonique – dominante, dominante – tonique).

4. La petite anacrouse du début (il s'en amusera beaucoup).

Et c'est tout. Les conditions nécessaires et suffisantes d'une formidable aventure de l'imagination sont réunies.

Comme pour railler Diabelli, dès la première variation Beethoven liquide « la valse », remplace la mesure à trois temps par une mesure à quatre, *alla marcia, maestoso*. En dehors des constantes générales – grands champs harmoniques et nombre de mesures – il s'agit d'une composition totalement nouvelle. Une cellule rythmique unique ♪|♩♩♪ articule intégralement tout le morceau, s'assujettit poids et volumes, liaisons, attaques, accents, bloque les registres et commande la direction des intervalles. Ce souffle lourd, puissant et régulier exclut tout fléchissement du tempo – tout *ritardando* final ; le morceau se termine à la trente-deuxième mesure, abruptement.

Tout se passe comme si Beethoven voulait d'emblée désigner l'étendue de sa liberté, aller aux confins de son domaine. Dans la seconde variation, plus trace d'oppositions rythmiques ; c'est un processus d'évolution continuelle où, sur une coulée de durées absolument égales, dans une intensité *piano* immobile jusqu'au bout, l'harmonie tourne autour de ses fonctions fondamentales, brode des figures mélodiques qu'ordonne le phrasé, dimension essentielle de la pièce.

Tellement puissante est l'ossature de chaque variation, et tellement vaste le champ de l'imagination instantanée, que le compositeur peut provoquer des cassures à l'intérieur d'une variation, introduire de véritables « corps étrangers », aller jusqu'aux limites de l'organique. Ainsi cette voix insolite qui, vers la fin de la troisième variation, se met soudain à balbutier, dans le grave, et disparaît à peine entendue. Romain Rolland ne manque pas de la signaler, dans le langage allégorique qui est le sien : « Dans la salle de danse du Prater, le trouble clair-obscur du vieux Faust méditant est entré... »

On nous dira : insolite ? La chose se justifie parfaitement de la façon la plus classique. Ne voyons-nous pas là, issue du thème, une broderie de si bémol septième-de-la-dominante-de-la-sous-dominante-de-la-tonalité-du-thème ? Peut-être, mais il n'empêche que cette structure n'est pas du tout *perçue*

comme un événement normal, ni prévisible. Cette fixation soudaine d'une figure rythmique prisonnière d'elle-même, et son timbre étranger qu'imposent son registre, son intensité et sa manière de couler, provoquent une fissure dans le devenir, et presque un malaise... Et c'est Romain Rolland qui a raison, lorsqu'il exprime ce qui le trouble, ce qu'il entend.

Avec les variations suivantes, IV, V, VI, Beethoven se laisse fasciner par le jeu de miroirs que lui suggère la symétrie harmonique générale. Dans ces images, réfléchies l'une dans l'autre, de deux volets de chaque variation, il choisit de mettre en œuvre des matériaux musicaux aussi malléables, aussi peu individualisés que possible. Il jette ces éléments dans un espace qu'il considère comme réversible, voire comme presque libéré de toute contingence, où toutes les hiérarchies sont balayées. Bas, haut, grave, aigu, long, bref, épais, mince, fort, faible – autant d'états et de positions de la matière musicale commandés par une sorte de vision intellectuelle préalable et globale, toujours nouvelle, de chaque variation, vision à laquelle la matière doit se plier coûte que coûte, intégralement.

Voici quelques aspects de ces espaces réversibles :

Mais il n'y a pas que l'espace : le temps aussi apparaît, au niveau de l'œuvre entière, comme virtuellement réversible. Les trente-trois variations ne sont pas les éléments partiels d'un processus en développement et, quoiqu'elles forment parfois des couples ou des groupes, elles ne se déroulent pas selon un ordre nécessaire, inéluctable. La démarche est exactement inverse à celle de l'*Arietta* de l'*op. 111*, où cet ordre est vital. De cette ordonnance non privilégiée sur la trajectoire du temps, dont nous convainc l'examen attentif de la partition, témoignent les esquisses, dans lesquelles on voit l'ordre de succession plusieurs fois bouleversé. Et c'est par la *fugue* (XXXIIe variation) – par le monde le plus incompatible avec la valse de Diabelli – que Beethoven projetait de commencer ses variations ! (Sur une des plus anciennes séries d'esquisses, en marge du sujet de la fugue, Beethoven note : *peut-être commencer ainsi*.) Trente-trois constellations de l'imagination dont aucune ne peut être dite plus ou moins ressemblante, plus ou moins proche d'un « modèle » initial, on pourrait les penser non en ligne droite, à la suite les unes des autres, mais comme en un cercle de métamorphoses, sans commencement ni fin, ou mieux encore, comme une galaxie où chaque étoile, de même « grandeur », est équidistante de toutes les autres.

Puisque les variations ne découlent de rien que d'une condition abstraite qui se concrétise en chacune d'elles, puisqu'à la place de la valse de Diabelli Beethoven aurait tout aussi bien pu inscrire deux fois seize mesures *vides*, avec quelques signes de basse chiffrée, puisque le thème n' « engendre » rien et n'a aucune fonction hiérarchisante, le terme de thème s'avère vide de sens dans l'*op. 120*. On ne voit pas très bien, d'ailleurs, en quoi l'œuvre changerait notablement si elle commençait non avec la valse de Diabelli, mais avec une de ses « variations » (les guillemets commencent à s'imposer pour ce terme aussi). A la limite, n'importe quel « thème » pourrait prendre la place de la valse, pourvu qu'il réponde aux conditions extrêmement générales exigées par l'œuvre ; et c'est d'ailleurs en raison de cette disponibilité que le système s'avère capable de « digérer » même des éléments venus de l'extérieur, s'ils sont conformes à ces conditions : ainsi le fragment-pastiche de Mozart, XXIIe « variation », air de Leporello dans « Don Giovanni ».

C'est pour la même raison qu'un organisme aussi indépendant que l'admirable *Largo molto espressivo*, XXXIe

« *Toute ressemblance de surface avec le modèle est abolie...* »
Mondrian, Arbres en fleurs, 1912.

« variation », peut s'intégrer au cercle. Là, Beethoven doit particulièrement rendre grâce à la valse de Diabelli, structure non mélodique s'il en fut : aucun élément donné ne vient infléchir son inspiration, il est totalement libre de créer lui-même ses mélodies où il veut et comme il le veut et, comme il a évoqué Mozart, préfigurer Chopin :

Enfin, c'est sans doute à cause de leur formulation harmonique générale, qui coïncide grosso modo avec celle de l'œuvre, mais nullement à cause de quelque intervalle de quarte, illusoire « parenté », que des organismes aussi clos sur eux-mêmes, aussi farouchement autonomes que la *fugetta* (XXIXe) et la grande fugue (XXXIIe « variation ») parviennent à s'intégrer – encore que très périlleusement – au cercle des métamorphoses.

D'apparence encore plus étrangère, à la limite de l'intégrable, la fameuse XXe variation semble défier toute approche. Essayons cependant d'interroger cette page visionnaire, de déchiffrer une part au moins du « mystère de ce sphinx » (comme l'appelle Romain Rolland).

L'ossature harmonique commune à toutes les variations est ici aussi préservée (moins explicitement, car il s'agit non de degrés harmoniques identiques, mais de fonctions : toutefois la nature du champ reste la même). Or, la pièce possède une structure *polyphonique* caractérisée. C'est précisément dans l'affrontement de ces deux dimensions qui, loin de fusionner, se dressent l'une contre l'autre, que réside, nous semble-t-il, un des « mystères du sphinx ». La variation XX reprend, à l'état pur, le conflit dramatique des dernières œuvres polyphoniques de Beethoven, déjà évoqué à propos de l'*op. 106*. La polyphonie – une sorte de canon systématiquement avorté – passe impitoyablement à travers les champs harmoniques, les décale, les tord, les disloque. Horizontal et vertical, autonomes, incompatibles, joints ensemble de force, s'écartèlent l'un l'autre... C'est ce que Vincent d'Indy appelle plaisamment « amplification de sol-ut, de ré-sol, de mi-fa, du thème ».

Il y a un autre « mystère du sphinx », non moins déroutant au premier abord, c'est celui du temps.

Au cours des dix-neuf variations précédentes nous avons été habitués, jusqu'à nous en pénétrer totalement, à la parfaite symétrie d'un temps articulé en deux fois seize, quatre fois huit, huit fois quatre périodes égales. On a vu que ce découpage du temps, cette proportion de base rigoureusement maintenue, référence stable et familière, est un des principes fondamentaux de l'œuvre. Brusquement, dans la variation xx, elle disparaît. La carcasse de 16 + 16 mesures, les « barres de mesure » ne sont plus que des conventions d'orthographe, une survivance. Il n'y a qu'une seule valeur de durée, la blanche pointée, et elle constitue sa propre référence, elle dissout toutes les matrices antérieures du temps. Dès lors, toute carcasse métrique étant absente, ce sont les structures polyphoniques elles-mêmes, mises en évidence par le phrasé, qui sont l'unique référence du temps ; mais elles sont totalement asymétriques, apériodiques, discontinues... Ce n'est donc que lorsque l'auditeur, forcé d'abandonner ses habitudes d'un temps symétrique, a situé son écoute créatrice au niveau des structures elles-mêmes, constellations discontinues flottant dans un temps absolu, qu'il a résolu le « mystère du sphinx »...

Chacune des *Variations Diabelli* représente un microcosme, une vision musicale singulière, un état spécifique de la matière sonore. Chacune obéit à sa propre règle du jeu, aux ordonnances particulières de ses hiérarchies trente-trois fois redistribuées. De l'une à l'autre, l'invention est totale ; ce ne sont pas des variations, mais des organismes infiniment divers ayant, dans le tréfonds de leurs structures, un point commun qui les unit – trente-trois cristaux de l'imagination, qu'une secrète proportion relie entre eux. S'il fallait illustrer par une image l'œuvre dans sa totalité, peut-être serait-ce avec un des « Echiquiers » de Paul Klee.

La signification des *Trente-trois variations op. 120* dans l'évolution de l'art musical est capitale : car c'est le principe même de la variation qui s'y trouve mis en question. Il s'agit ici non d'un pas en avant, d'un degré de liberté de plus dans la variation d'un donné, mais d'un changement de nature, du bouleversement d'un principe qui, de près ou de loin, avait défini toute notre poétique musicale. Le « donné » se révèle ici non pas initial, mais omniprésent – une constante garantissant l'unité, un éclairage commun à un certain nombre d'objets singuliers, une expression fondamentale abstraite, généralisable à toutes les situations concrètes à venir. Au lieu de présenter « le même objet sous des lumières différentes » – ce qui pourrait constituer, par-delà toutes les catégories et degrés de transformation, la définition la plus générale de la variation, les *Variations Diabelli* présentent trente-trois « objets différents dans la même lumière, qui les traverse ». Par cette double formulation qui lui appartient, le compositeur K. H. Stockhausen définit la nature profonde, l'esprit de la musique sérielle et sa spécificité. Cette « lumière » est principe généralisateur – mais non générateur – de structures musicales toujours à créer, toujours uniques. En ce sens, et par-delà toute comparaison de langages, les *Variations Diabelli* apparaissent comme une vision inspirée des logiques les plus modernes de l'imagination.

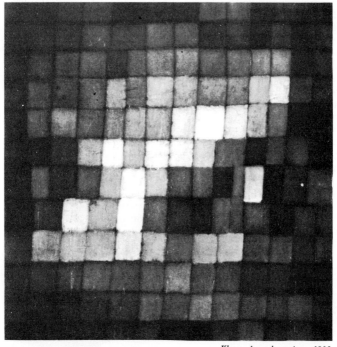

Klee - Accords anciens, 1925.

Édifices intérieurs

L es derniers Quatuors constituent la somme poétique de la création beethovenienne la plus intérieure. Dans le quatuor à cordes l'esprit créateur se dépouille de tout ce qui n'est pas sa vérité essentielle, il bannit l'ornement et le geste, ignore l'emphase rhétorique : sous une loi qui est celle de la concentration absolue, il reconnaît ses authentiques richesses. En ce sens le quatuor à cordes apparaît comme une des formes les plus adultes de la pensée musicale.

L'image est facile de ce musicien sourd qui, à l'heure de ses derniers Quatuors, n'écoute plus que les voix de son moi solitaire, et les transcrit. Et certes, elle contient une part de vérité. Mais cette solitude de la genèse est moins que jamais solitude du message, et refus du monde ; le retranchement physique est moins que jamais retranchement spirituel. Car, redisons-le, Beethoven ne se contemple pas dans sa solitude, il ne glorifie pas en musique un moi exclusif, mais se fait l'interprète d'un moi universel. Non pas prisonnier de soi-même, emmuré en soi-même, mais suprêmement libre, et parlant au nom de tous – tel est le Beethoven des derniers Quatuors.

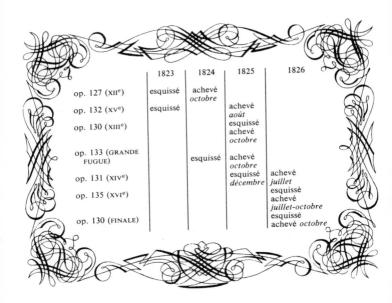

	1823	1824	1825	1826
op. 127 (XIIe)	esquissé	achevé *octobre*		
op. 132 (XVe)	esquissé		achevé *août*	
op. 130 (XIIIe)			esquissé achevé *octobre*	
op. 133 (GRANDE FUGUE)		esquissé	achevé *octobre*	
op. 131 (XIVe)			esquissé *décembre*	achevé *juillet*
op. 135 (XVIe)				esquissé achevé *juillet-octobre*
op. 130 (FINALE)				esquissé achevé *octobre*

La polyphonie et la variation dominent ces ultimes chefs-d'œuvre, se rencontrent en une nouvelle vision stylistique qui subordonne les catégories formelles classiques : la constatation de celles-ci, même lorsqu'elle est possible, devient sans objet. Il semblerait dès lors plus exact de dire qu'il ne s'agit plus de liberté par rapport à un schème, mais au départ, d'une libre invention de formes, dans lesquelles nous pouvons chercher – mais à quelles fins ? – les vestiges d'un schème.

Le *Douzième Quatuor op. 127*, en mi bémol majeur, est significatif de cet état ambigu, mouvant des formes. Tout en se souvenant de la forme-sonate, l'œuvre invente sa propre structure. Le premier mouvement, qu'ouvrent six mesures d'introduction *maestoso* aux fortes oppositions rythmiques, est dominé par un thème principal de caractère simple et discret, dont les rapports mélodiques peuvent subir à tout moment les plus grandes variations et se prêter ainsi à toutes les exigences d'un développement essentiellement polyphonique. A cet *Allegro* de caractère discursif succèdent les admirables variations d'un *Adagio ma non troppo*. Le principe de la variation possède la puissance corrosive de l'acide, il pénètre jusqu'aux aspects les plus secrets du thème. Les *Diabelli* restent une aventure unique au-delà de la notion même de la variation : ici, c'est le thème qui de nouveau constitue la référence constante du souvenir... ou plutôt du songe ; mais il n'est pas moins profondément transfiguré, jusqu'à ce qu'un visage tout à fait nouveau vienne se substituer au visage originel. Ses traits reflètent une grande mélancolie ; l'évolution constante de l'harmonie, de plus en plus chromatique, crée le climat crépusculaire du morceau. Parfois, c'est une page de « Tristan » que l'on croit entendre...

Quatre accords pizzicato illuminent soudain la scène. C'est une véritable ouverture : avec ces quelques étincelles de timbre, nous voici pris. Est-ce un *scherzo* ? Certes, si l'on en croit l'indication *scherzando vivace* ; mais de proportions tellement démesurées que l'on se demande ce qu'un tel rapprochement peut apporter, et à quelle réalité il peut encore correspondre. Un germe unique engendre la matière de cette immense spéculation rythmique, sous l'aspect d'une seule cellule dans la première partie, sous un aspect linéaire dans la seconde. A son habitude, Beethoven joue avec l'image et son renversement dans un miroir imaginaire :

Une tendre phrase mélodique vient interrompre à plusieurs reprises l'élan rythmique ; le *Presto* central (jadis « trio ») accentue encore la tension qui se perpétue jusqu'à la fin, dans l'alternance du *presto* et du *vivace*. Et le *Finale* apporte la détente. Le tempo en est laissé à la liberté des interprètes – aucune indication ne le précise. Le thème se propose d'emblée dans deux versions rythmiques opposées, il s'épanouit librement, faisant apparaître au long de son passage une multitude d'idées nouvelles, changeant de paysages et de climats, pour aboutir à sa synthèse dans une *coda* inattendue.

Dans le *Treizième Quatuor op. 130*, en si bémol majeur, qui comprend six mouvements (comme dans le *Seizième*, qui en comprend sept), la loi est celle de la plus grande diversité, de la constante opposition de formes, de climats psychologiques. Tout se passe comme si Beethoven voulait rassembler en une seule œuvre un maximum de formes, de la danse allemande à la fugue, et faire la synthèse de tous les domaines de l'expression. Ce principe de diversité et de contrastes se retrouve d'ailleurs à l'intérieur de chaque mouvement. Dans le premier, un thème principal composé de deux éléments superposés s'oppose aux brusques rappels de la lente *Introduction* : confrontation de caractères, l'un statique, l'autre très mobile, confrontation de tempi aussi, principe dont Beethoven tire dans toutes ses dernières œuvres les plus saisissants effets. Au seuil du vaste développement, *adagio* initial et *allegro* alternent par trois fois, et par trois fois également dans la conclusion où, au-delà de l'élément thématique, le contraste s'exprime dans la pure opposition des tempi.

Le *Presto*, second mouvement, est une manière de scherzo extrêmement rapide, dit à mi-voix ; la partie centrale s'oppose par ses accents violents à la fluidité des parties extrêmes. Accents violents sont aussi les silences, au seuil de la reprise. L'*Andante con moto*, qui suit, est une des pages les plus raffinées de Beethoven sur le plan rythmique, et l'une des plus spirituelles de toute son œuvre – un jeu sur le thème de la tendresse et de l'humour. Comme une cellule-mère biologique prolifère en un organisme infiniment complexe, ainsi la minuscule cellule rythmique ♪♫♪♪ , multipliée dans la trame polyphonique, semble se ramifier dans tout le mouvement. On ne saurait trop conseiller d'écouter cette page avec la partition, pour découvrir les richesses les plus cachées de son écriture. Dans le mouvement suivant, *alla danza tedesca*, l'on remarquera la petite nuance expressive ＜＞ dont est doté chaque élément, chaque motif : le « thème », ce sont également ces nuances mobiles, qui se répercutent à plus grande échelle, quatre par quatre mesures, et qui conditionnent l'architecture de l'ensemble.

S'il est un exemple de totale concentration musicale, où le moindre rapport est surtendu, où le moindre événement est chargé de sens, c'est bien la *Cavatine*, cinquième mouvement de l'*op. 130*. D'ailleurs, l'étymologie de son titre – de « cavare », creuser – indique elle-même ce caractère. Pièce d'une bouleversante beauté, il semble que Beethoven lui-même y était profondément sensible : *Jamais ma propre musique n'aura eu un tel effet sur moi*, aurait-il dit à Holz. Les richesses de la *Cavatine* sont inépuisables ; l'épanouissement des motifs mélodiques n'est que la part la plus évidente de son réseau de forces tendu à l'extrême. Dans la partie médiane cette tension éclate à la surface, se traduit dans les oppositions rythmiques entre le premier violon et les trois autres instruments, culmine dans les accents angoissés, oppressés *(beklemmt)* d'une ligne mélodique lacérée par les silences :

Par ces vides (↓ ↓ ↓) placés précisément là où chaque cellule vitale doit atteindre son point d'appui rythmique, le devenir est constamment suspendu, la détente constamment refusée, la musique est comme une respiration saccadée dans un espace sans air, haletante...

On sait que c'est la *Grande Fugue (op. 133)* qui, à l'origine, terminait ce quatuor. Le souffle oppressé de la *Cavatine* devait trouver dans les silences brutaux de l'*Ouverture* de la *Fugue* comme un écho démesuré, puis dans l'élan fou des quatre instruments, comme une délivrance. Une secrète parenté thématique unissait l'introduction du premier mouvement et la Fugue, témoignant d'une volonté de synthèse. Couronnement de l'œuvre, à l'échelle de ses dimensions et de son esprit, la *Grande Fugue* fut cependant détachée par Beethoven du corps du *Quatuor op. 130*, sur le conseil pressant de son éditeur Artaria et de quelques bienveillants amis, soucieux surtout du succès immédiat du compositeur. Ce n'est pas sans résistance ni sans peine que Beethoven se résolut à cette amputation. Et lorsque son neveu Karl lui relate la première audition de l'œuvre dans sa première version, l'incompréhension rencontrée par la *Fugue*, le succès des mouvements rapides (bissés), il s'écrie : *Ah ! les bœufs ! les ânes ! Oui, oui, ces friandises ! Ils se les font servir encore une fois ! Pourquoi pas plutôt la Fugue ? Elle seule aurait dû être recommencée.*

Que peut-on dire de la *Grande Fugue*, en quelques lignes, ou même en quelques pages ? Son analyse sommaire du point de vue des lois de la fugue – celle de d'Indy par exemple, telle qu'on la trouvera reproduite dans la plupart des ouvrages sur Beethoven – non seulement n'éclaire pas l'œuvre dans sa singularité, comme moment absolument unique dans l'histoire de la musique, mais peut constituer comme un écran entre cette singularité et notre écoute. Mieux vaut, nous semble-t-il, revenir à l'étonnement face à cette œuvre, l'écouter et la réécouter comme totalement nouvelle, inconnue. Nous ne manquerons pas de nous rendre compte que la *Grande Fugue* appartient, comme sa sœur de l'*op. 106*, à cet univers de conflits, déjà évoqué, où les exigences d'un langage nouveau et celles d'une forme constituée s'affrontent dramatiquement : là réside son extraordinaire puissance de choc. Mais l'auditeur est appelé à vivre, dans l'*op. 133*, un autre conflit encore, spécifique du temps, beaucoup plus sensible que dans l'*op. 106*. Double conflit : d'une part, celui de structures rythmiques, de couches de temps totalement autonomes les unes par rapport aux autres, qui se déroulent simultanément, forcées à coexister et à fusionner, périlleusement, comme sous l'effet de quelque formidable température, et à créer un temps multiple. Et d'autre part, conflit entre les proportions imprévisibles des étapes de l'œuvre et toute référence à une forme stylistique existante. Le musée imaginaire de l'auditeur explose. D'emblée le devenir discontinu de l'œuvre rend caduques toutes notions antérieures d'ordre dans le temps, contredit les tentatives d'anticipation de l'auditeur, l'oblige à se créer au fur et à mesure de nouvelles notions de temps et de forme. Vision d'un devenir musical alors inconnu, appelant une nouvelle écoute, ses principes, ses exigences et ses conséquences resurgissent à l'époque actuelle ; telles sont, nous semble-t-il, la position et la signification de la *Grande Fugue* sur la trajectoire de notre sensibilité musicale. Telle, plus que jamais actuelle, la découvre l'écoute passionnément ouverte à son message d'avenir.

L'introduction du *Quinzième Quatuor op. 132*, comparée à celles des autres Quatuors de la même époque, apparaît beaucoup plus intégrée au corps du premier mouvement ; son matériel thématique y joue tout au long un rôle de premier plan. Dès l'attaque de l'*Allegro* proprement dit, on aperçoit ce principe de symbiose des thèmes, qui régit le mouvement. Des deux éléments *a* et *b*, c'est le second qui sera le plus agissant ; il a été l'objet de longues recherches avant que soient trouvés son équilibre définitif et sa prégnance rythmique, exigés par les situations diverses du développement. On reconnaît en *c* le motif de l'introduction, tronçonné

et inversé. Des idées secondaires, épisodiques, s'opposent à ces deux principales sources ; dans un travail thématique magistral, très éloigné de la forme-sonate, la matière musicale brûle ses richesses sans laisser la moindre scorie.

Le second mouvement amplifie le plan du « scherzo » en y insérant, au centre, une sorte d'image réduite de sa propre structure :

Le jeu des répétitions automatiques de chaque fragment, la reprise textuelle, qui confèrent au morceau une durée totale de plus de cinq cents mesures, créent un relatif statisme ; tout autre sera, comme on le verra, la fonction de la répétition dans l'*op. 131.*

Heiliger Dankgesang eines Genesenen an die Gottheit, in der lydischen Tonart – chant de reconnaissance d'un convalescent à la Divinité, dans le mode lydien – ce sont les mots que Beethoven écrit en tête du troisième mouvement. On les retrouve, à côté des mots *testament* et *métronome*, griffonnés dans son carnet en mai 1825, à Baden, où il se remet lentement de la maladie qui l'a terrassé au début de l'année. Beethoven ne se doutait certes pas que la meilleure et la pire littérature s'empareraient de ce titre. Huxley, dans une page d'une grande intensité psychologique, synchronise un suicide au déroulement du *Chant de reconnaissance* (« Contrepoint »). Sa description de la musique, dramatique toile de fond qui tantôt s'estompe et tantôt s'éclaire, reste fidèle à l'œuvre.

Tout autre est l'interprétation « programmatique » d'un A. B. Marx qui se plaît à voir dans tout le *Quatuor* une « description musicale de la maladie et de la guérison ». « La scène du poème entier est le lit du malade... Les instruments à cordes, avec le bruit plaintif, rongeant, de l'archet, sont ici l'organe spécifique, voulu, nécessaire, de cette traduction... » Sans commentaires.

Géniale est la triple métamorphose du *Chant de reconnaissance – Adagio molto –* où la musique à la fois s'épanouit et demeure immobile dans l'hymne. Celui-ci, hiératique, écrit en longues valeurs égales *(a)*

est immergé dans une matière musicale plus charnelle, plus souple. C'est elle qui évolue, elle alterne avec les apparitions, en cinq strophes, de l'hymne, l'entoure de ses frondaisons de plus en plus hautes et déployées. Un *Andante* en ré majeur, plus animé, s'élance brusquement vers la lumière, *sentant de nouvelles forces.* Puis l'hymne revient, à présent profondément incrusté dans les frondaisons du contrepoint. Un nouvel *Andante*, plus intense encore, l'interrompt. Et de nouveau revient, pour la troisième fois, le *Chant de reconnaissance*, dans un sentiment profondément intérieur *(Mit innigster Empfindung)*. Il a suffi d'une infime variation mélodique *(x)* pour qu'il se transforme comme en un rosier sauvage couvert de fleurs

tandis que le cantique, toujours immuable, passe dans les profondeurs.

Un bref et rapide mouvement *Alla marcia* nous arrache à la contemplation émerveillée de l'*Adagio*, nous fait passer dans l'univers du *Finale*. Un récitatif fiévreux instaure le climat psychologique et la tonalité du dernier *Allegro appassionato* dont le beau thème rappelle le dernier mouvement de la *Sonate op. 31 n° 2*. Dans un élan irrésistible et une précipitation du mouvement, l'œuvre se termine victorieusement.

Le *Quatorzième Quatuor op. 131* en ut dièse mineur comporte sept parties que le compositeur, dans une lettre à son éditeur, qualifie plaisamment de *volées de-ci, de-là, et mises ensemble*. Rarement cependant la diversité des formes a atteint une aussi grande unité. Car non seulement des liens organiques profonds unissent ces mouvements enchaînés sans interruption, mais leurs interactions, dans la forme globale de l'œuvre, sont très puissantes par-delà leurs frontières apparentes.

La fugue initiale, *Adagio ma non troppo*, est d'une grande sérénité d'écriture. Ce n'est plus un affrontement dramatique de principes irréconciliables réduits par la force : ici, le conflit est résolu en une « unité de lieu, d'action et de temps », dans une expression méditative que trouble seul l'accent douloureux au centre du thème :

L'*Allegro molto vivace* est soudé à la Fugue par une figure commune aux fonctions harmoniques ambivalentes, à la fois point d'arrivée et point de départ. Ce mouvement rapide, volant et libre comme l'air, défie les cadres formels divers dans lesquels on tente encore de l'enfermer. Il ne connaît que sa propre logique, inventée pour lui seul. Ses ramifications thématiques, souples et élancées, découlent d'une seule source, rythme de tarentelle qui ne suspend sa course qu'à bout de souffle, sur trois mots chuchotés *mezza voce*.

L'intermède du court *Allegro moderato* conduit et s'enchaîne au mouvement le plus vaste de l'œuvre, l'*Andante ma non troppo* et ses admirables variations. Si le *Quatuor op. 131* fait appel à toutes les formes de l'imagination, son *Andante* met en œuvre toutes les formes de la variation beethovenienne, en une synthèse magistrale. Chaque nouvelle métamorphose

est plus poussée, plus intégrale ; il ne s'agit pourtant pas d'une complexité croissante, mais d'un renouvellement constant du principe même de la variation, de son angle d'attaque. Les deux premières variations sont rythmiques et mélodiques, de style presque classique ; la troisième, en revanche, est beaucoup plus radicale : dans son écriture polyphonique, en imitations serrées, où l'on assiste à la transformation quasi magique d'une cellule en une autre, toute parenté explicite avec le thème initial est suspendue. Dans la quatrième variation, la voie est ouverte à l'invention mélodique la plus libre. L'arabesque du premier violon est cueillie par le pizzicato du second, puis du violoncelle – puis tout est inversé : un visage souriant se cherche dans un miroir... Dans la cinquième variation, c'est l'univers des *Diabelli*. Réduit à une trame harmonique, le thème n'a plus aucun contour, se dissout totalement. La plus étrangement belle est la sixième variation, *adagio* à 9/4. Dans l'invocation fervente, *sotto voce*, des quatre instruments s'insinue soudain une ombre, un bref groupe de doubles croches fuyantes. Il agit d'une façon ambiguë – tantôt comme brutal événement rythmique, tantôt, à peine audible, comme une présence insidieuse – comme un timbre, obscur, troublant, insaisissable :

Ce sont des métamorphoses du timbre qui préparent et dominent la dernière partie du mouvement, non point « reprise » mais nouvelle variation, car – nous l'avons vu dans d'autres œuvres – le thème initial, revenu, change totalement de sens dans un univers sonore transfiguré.

Le *Presto* de cinq cents mesures qui s'enchaîne aux *Variations* est un des mouvements les plus significatifs de l'œuvre. Beethoven tend toujours à dépasser la répétition textuelle ; lorsqu'en revanche il fait appel à elle, elle n'apparaît presque jamais comme une survivance dans son langage, mais comme une intention expressive délibérée : tel est, très particulièrement, le cas du *Presto* de l'*op. 131*. La répétition agit là comme une dimension essentielle du morceau. Passé et présent se confrontent constamment, rejaillissent l'un sur l'autre et se transforment. Tout est subordonné au principe du constant retour : les seize mesures initiales autour desquelles pivote l'ensemble, leurs fausses reprises qui débouchent sur de nouveaux éléments eux-mêmes aussitôt constitués en cercles, les transitions imprévues – par le changement de vitesse (ritardandi) ou le changement de timbre (pizzicati) – tout, jusqu'aux silences mêmes, revient sans cesse taquiner la mémoire.

Atacca, marque Beethoven au-dessus du silence où plane déjà, pressentie, la tonalité de l'*Adagio*. Le contraste est total. Un chant venu des profondeurs résonne, la sonorité pénétrante de l'alto le porte au-dessus des autres voix. Moins de trente mesures : matériellement, le mouvement est bref. Cependant sa densité, sa tension sont telles qu'il pèse, dans le temps vécu de l'œuvre, aussi lourd que la plus vaste étape. Avec le grand *Allegro* final auquel il est lié, il forme un couple – un rapport de puissances égales. Sa fin, c'est le début même, fulgurant, de cet *Allegro* soudain attaqué par les quatre instruments. Le thème laisse d'emblée prévoir les proportions de l'édifice ; sa charpente est d'acier :

Les silences qui encadrent son groupe central donnent la plus grande puissance possible à cet impact sonore, la tension est suspendue sur la note sensible (↓) du ton initial d'ut dièse mineur avec lequel le *Finale* boucle le cycle tonal de l'œuvre. A cette impétueuse affirmation du rythme s'oppose une première idée mélodique qui provient du thème de la fugue initiale (voir page 101) : ainsi est jeté, une fois de plus, le pont de l'unité entre les parties extrêmes de l'œuvre. Un second thème mélodique, dans le ton relatif majeur, apparente le mouvement à la forme-sonate, tardivement apparue. Le développement est à la fois serré et grandiose, tant au niveau de la plus petite cellule qu'au niveau des plus grandes structures où le *ritmo di tre battute*, indication beethovenienne caractéristique des derniers Quatuors, incite les interprètes à penser le devenir par blocs de trois mesures, à vivre un rythme de structures entières. Un *poco adagio* freine l'élan, à la fin du mouvement, pour mieux affirmer le retour du tempo et la force implacable des mesures finales.

Le *Seizième Quatuor op. 135* en fa majeur est la dernière œuvre complètement achevée de Beethoven. Il est composé très rapidement, au cours de l'été 1826, à Vienne (et non dans la propriété de son frère, à Gneixendorf, comme on l'a souvent dit : le compositeur ne s'y rend que le 28 septembre, il y écrit le finale du *Quatuor op. 130*, destiné à remplacer la *Grande Fugue*). Malgré les soucis de tout ordre, malgré la tentative de suicide de son neveu Karl, qui le bouleverse, Beethoven ne ralentit pas son activité créatrice : outre les esquisses très avancées d'une *Dixième Symphonie* et un Quintette dont seul l'*Andante* a été achevé, trois des quatre mouvements du *Seizième Quatuor* sont terminés au cours du mois d'août.

L'*Allegretto*, premier mouvement de l'œuvre, est d'une merveilleuse délicatesse d'écriture.

Le thème initial contient tout l'esprit de son développement. Il n'est pas linéaire, réductible à une ligne mélodique : c'est un organisme finement articulé, qui se définit « en relief » dans l'espace instrumental, avec ses masses variables, ses nuances mobiles.

Transparence de la polyphonie, élégance des développements, des transitions, légèreté et équilibre de l'architecture –

après la tension dramatique du *Quinzième Quatuor*, c'est un autre aspect de son génie que livre ici Beethoven.

Le *Vivace* est un grand éclat de joie. La carcasse de l'ancien « scherzo » reste le terrain favori des jeux rythmiques du compositeur. Ce jeu s'exerce ici sur les accents, la métrique, les périodes, avec une telle audace que l'on croit par moments entendre non du Beethoven mais du Bartok. Le mouvement commence par une polyrythmie des quatre instruments : où est « le thème » ? C'est cette polyrythmie même, ces quatre couches de temps mises ensemble. Soudain, les instruments se rejoignent, mais c'est toute la structure qui est maintenant décalée dans la mesure ternaire : où est « le premier temps »? En nous seuls. Il sera explicitement rétabli dans le « trio » – mais alors, avec quelle force ! Un faisceau de quatre croches l'affirme à tous les registres, puis cette figure est happée par le second violon, l'alto et le violoncelle ensemble, elle tourne sur place et se répète *cinquante fois*, tandis que le premier violon déroule un air endiablé de cornemuse. Et tout recommence...

Süsser Ruhegesang, Friedensgesang – le dernier *Lento* de Beethoven est un « doux chant de repos, chant de paix ». Ce sont des variations une fois de plus, où la mélodie libère ses plus secrètes beautés. La première, plus lente encore que le thème, introduit le silence, rend la parole haletante. La seconde développe le thème en imitations. La troisième lui apporte cette infime transformation mélodique qui, comme à la fin du *Chant de reconnaissance* de l'*op. 132*, comme à la fin de l'*op. 111*, résonne comme un adieu. Non point dans les larmes, mais dans une profonde sérénité.

Le dernier mouvement de l'*op. 135* comporte un titre, *Der schwergefasste Entschluss* – la résolution difficilement prise – et un exergue musical :

Muss es sein ?   Es muss sein !   Es muss sein !
Le faut-il ?   *Il le faut !*   *Il le faut !*

On sait quels excès littéraires cette « énigme » a suscités. Beethoven y évoque-t-il, comme l'affirme Schindler, un débat de conscience au sujet du renvoi de sa cuisinière, ou est-ce une interrogation tragique du Destin ? Cette dernière interrogation, toute l'œuvre et toute la vie de Beethoven la posent d'une façon suffisamment catégorique pour qu'il ne soit pas nécessaire de la rechercher dans une référence marginale. Quant à l'origine de celle-ci, elle est purement anecdotique : la voici. Un certain Dembscher ayant voulu faire jouer chez lui un Quatuor de Beethoven sans bourse délier, le compositeur exige que le quidam lui paye 50 florins. Atterré, Dembscher demande : « Muss es sein ? » Et Beethoven de répondre aussitôt par ce joyeux canon :

Es muss sein   Es muss sein ja   ja ja ja
                                        (Avril 1826)

Par les grandes lignes de sa structure, le mouvement final de l'*op. 135* rappelle la *Sonate pathétique*. Un *Grave*, bâti sur le motif interrogatif de l'exergue, forme le portail de l'édifice. Les silences, démesurés, sont chargés de tension, un crescendo porte à son point culminant la progression des accords de septième beethoveniens. Une chute rapide prépare l'attaque du motif affirmatif, motif central de l'*Allegro*. Un autre motif, legato, s'y oppose polyphoniquement, puis un autre encore, plein d'humour (une marche populaire viennoise). Sur ces trois éléments thématiques très simples s'édifie le vaste développement. Le retour du *Grave* initial fait cette fois entendre, dans le timbre sombre des tremolos, à la fois l'interrogation et l'affirmation. L'*Allegro* reprend dans de nouvelles situations les trois éléments thématiques, conduit à un dernier rappel du *Grave* et à un point d'orgue qui suspend l'affirmation, comme en lui donnant un sens de doute... Et c'est le plus merveilleux imprévu qui termine l'œuvre, un retour du motif populaire en pizzicato, aux quatre instruments. « Muss es sein » ? L'œuvre de quatuor de Beethoven – le domaine de sa plus profonde et plus secrète pensée – s'achève non sur quelque geste pathétique du surhomme, du « titan », mais sur un doux sourire.

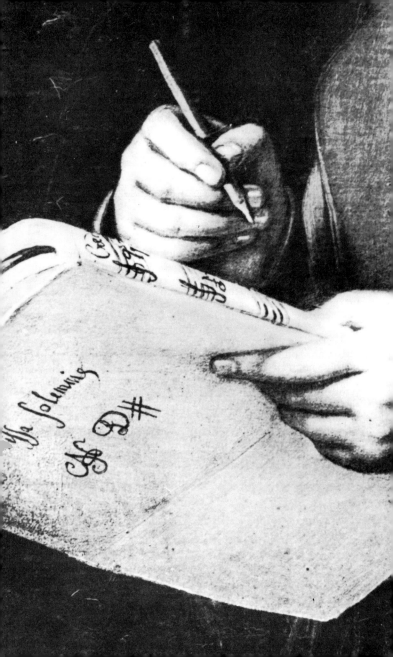

Blocs de temps

ous voici, au terme de l'œuvre de Beethoven, devant ses deux édifices les plus grandioses, la *Missa solemnis* et la *Neuvième Symphonie*. Comme les Sonates, comme les Quatuors dépassent les normes expressives et formelles qui leur étaient jusqu'alors dévolues, de même ces œuvres monumentales, où s'allient l'orchestre et les voix, font éclater leurs cadres, dépassent leurs fonctions consacrées, se chargent de messages nouveaux. Ni la *Missa solemnis*, ni la *Neuvième* ne peuvent se définir exactement par les termes de messe et de symphonie. L'église, le concert ne sont plus leur domaine exclusif. Ces œuvres ont créé leur propre cadre. L'une, par-delà la fonction liturgique, célèbre aujourd'hui les œuvres humaines, solennelle ouverture de Festivals ; l'autre, porteuse d'un message universel, est devenue symbole, et hymne sur toutes les lèvres.

LA MISSA SOLEMNIS

Par ses proportions colossales tout d'abord, par la puissance tyrannique de son temps musical propre avec lequel nul autre temps – surtout pas le rythme sacré de la liturgie –

ne saurait se concilier sans se soumettre, la *Messe solennelle* de Beethoven se situe loin des autels. Vincent d'Indy lui-même, qui veut donner de Beethoven l'image la plus dévote, est catégorique : « Cet art admirable ne serait sûrement pas *à sa place* dans l'église. » Mais c'est plus encore par l'esprit que la *Messe* s'écarte d'une fonction séculaire et incarne, dans le domaine de la musique, la scission des arts et du sacré naguère unis en des siècles de chefs-d'œuvre. La voix qu'elle fait entendre est la voix triomphante de l'homme, loin de l'effacement, de l'humilité, du renoncement, voix de *l'homme créateur*, maître d'œuvre qui impose au texte sacré les images de son expression personnelle. Le thème profond de la *Messe* est celui de Beethoven, celui – une fois de plus – du destin de l'homme. L'œuvre fait entendre la détresse et la joie, les fanfares de la guerre et les symphonies de la nature, symbole de paix, les accents du drame et ceux de la tendresse, et, par-dessus tout, cette volonté irrésistible de vivre et de vaincre qui est au fond de toutes les œuvres du compositeur. « Lorsque Czerny, rappelle J. Chantavoine, eut terminé en 1810 la partition de piano de *Leonore*, il écrivit : « Finis, mit Gottes Hülfe. » (Avec l'aide de Dieu), et Beethoven, d'un trait vigoureux, ajouta : *Mensch, hilf dir selbst.* (Homme, aide-toi toi-même.) Toute l'inspiration de la *Messe en ré* se trouve contenue dans ces quatre mots : la foi qu'elle exprime c'est avant tout la confiance dans la volonté et la bonté humaines. »

Destinée à célébrer l'intronisation solennelle de l'archiduc Rodolphe, son dédicataire, nommé archevêque d'Olmütz en juin 1818, la *Messe*, aussitôt commencée, fut conçue tout d'abord comme une œuvre proprement liturgique. Elle devait cependant prendre rapidement des proportions telles, et développer à tel point ses exigences musicales propres, que pendant quatre années entières elle fut l'obsession quotidienne de Beethoven. Terminée à la fin de 1822, bien après la cérémonie à laquelle elle était primitivement destinée, elle ne fut exécutée en présence du compositeur qu'en partie (*Kyrie, Credo, Agnus Dei*), en 1824, au concert où la *Neuvième Symphonie* résonna pour la première fois.

De tous les hymnes de la *Missa solemnis*, le *Kyrie*, premier composé (1818-1819), est sans doute le plus proche du projet original de Beethoven. Il possède la forme tripartite rigoureuse exigée par la liturgie *(Kyrie eleison – Christe eleison – Kyrie eleison)*, et s'inspire, encore que de loin, du plain-chant. *Pour écrire de la vraie musique d'église, parcourir les vieux chorals d'église des moines etc.*, note Beethoven en 1818. Dans le *Kyrie* se révèle d'emblée la dépendance étroite entre parole et musique, qui caractérise l'œuvre. C'est la parole, en effet, qui est la source essentielle, et inépuisable, de la matière musicale première de la *Messe*, et c'est elle qui crée son unité organique. Sauf dans les étapes polyphoniques fermées, les fugues notamment, où se cristallisent des sujets, la notion de thème cède la place, dans la *Messe*, à un jaillissement continuel d'idées, engendrées et renouvelées par le sens du texte et sa structure rythmique propre. On sait que Beethoven se faisait interminablement scander le texte par son neveu Karl ; le *Kyrie* nous donne un exemple très simple de la prolifération musicale, mélodique et rythmique, à partir de la prosodie :

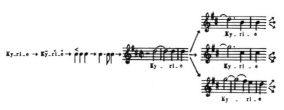

Sur cette vivante matière première, surgie du texte et renouvelée à l'infini, s'exerce la composition proprement dite, au niveau des structures. Le *Gloria* nous en montre le principe de façon frappante, et il faut s'y arrêter.

Edifice grandiose, la *Missa solemnis* ne l'est pas seulement dans ses proportions et son appareil sonore où le grand orchestre, les chœurs, les solistes et l'orgue unissent leurs puissances. Elle l'est aussi dans son écriture. Nous avons vu comment, dans les derniers Quatuors notamment, Beethoven concentre à l'extrême son discours. A cette densité du temps, où chaque instant est événement musical, il substitue dans ses grandes œuvres symphoniques, dans la *Messe*, et très particulièrement dans le *Gloria*, un discours à une échelle infiniment plus large. L'événement devient structure entière, *bloc de temps* indivisible ; tel, il établit avec d'autres blocs des rapports de puissance à puissance au sein de la forme. Comme devant une fresque le spectateur cherche le recul (alors que, face au tableau de chevalet, ou à la miniature, il se rapproche autant que nécessaire), ainsi, en écoutant la *Messe*, l'auditeur doit prendre de la distance : c'est en dominant ses vastes régions que nous opérons la synthèse du continent musical. Le *Gloria* débute par un fulgurant « groupe » introductif de tout l'orchestre, qui aboutit à une grande structure de 34 mesures – orchestre et chœurs – bâtie sur la cellule rythmique du mot *Gloria* (♪♪♪). Énorme bloc de temps, il s'oppose brutalement au bloc suivant, de 24 mesures, d'une tout autre écriture (*Et in terra pax hominibus*, scandé pianissimo). Ici et là, l'événement c'est le bloc entier ; on ne peut saisir « d'une note à l'autre » que la matière première de chaque structure ; le développement procède par confrontations de caractères globaux qui absorbent, dépassent les rapports sonores immédiats. De 14, 16 et 18 mesures respectivement sont les événements suivants, les éclatants *Laudamus* et *Glorificamus*, interpolés par de brèves structures de 3 mesures chuchotées, *Adoramus* :

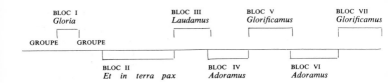

On voit d'ailleurs comment le sens psychologique du texte, tel qu'il est interprété par Beethoven, commande la nature et l'organisation des structures. Le sens se projette ici sur la forme entière, d'une façon particulièrement évidente. *Laudamus* est exprimé par la plénitude et l'éclat, *Adoramus* par deux fois y oppose son caractère intime et sa brièveté ; *Glorificamus*, enfin, est un cri de triomphe. Est-il besoin d'ajouter que ce sens psychologique ainsi interprété à un premier niveau, celui du signe, est transcendé dans le sens proprement musical de l'œuvre, que la référence expressive ne suffit pas à définir ?

D'autres aspects de cette dialectique des grandes structures, plus finement articulés, plus progressivement évoluants se découvrent dans les mouvements lents, dans le *Meno allegro* et surtout le *Larghetto (Qui tollis peccata mundi)*, que sépare le *Deus Pater omnipotens* et sa fulgurante modulation en ré mineur. La *Fugue* finale, *In gloria Dei Patris*, est grandiosement articulée ; dans sa dernière étape, au fur et à mesure qu'elle se rapproche de l'*Amen*, elle abdique sa structure contrapunctique, pour former des blocs verticaux de plus en plus contrastants et brefs. Un de ces blocs de temps, et non le moins puissant dans son action, est le silence.

Dans le *Credo*, diamétralement opposé au *Gloria*, ce n'est pas une architecture d'ensemble ni des grandes structures qui sont données à entendre, mais le matériau musical tel qu'il dérive directement du texte. De tous les hymnes de la *Messe*, le *Credo* est le moins « composé » : c'est une succession d'images sonores, de signes expressifs conçus volontairement et exclusivement comme tels. Dans sa volonté de retrouver une expression directe, de faire vivre les images et les sentiments d'un texte à jamais hiératisé – or c'est précisément l'immobilité hiératique qui donne à ces images leur force et leur permanence – Beethoven non seulement se prend au piège d'une expression théâtrale auprès de laquelle pâlit *Fidelio*, mais il y sacrifie dans une certaine mesure la structure proprement musicale de l'ensemble. « ... L'élément dramatique ou descriptif prend une importance croissante ; le sens des mots détermine d'une manière de plus en plus impérieuse non seulement l'allure mélodique et rythmique des phrases, mais la forme même des morceaux... » (Chantavoine.) A force de vouloir faire rendre au texte tout son potentiel suggestif, exprimer totalement ses images dans le signe – ou plutôt dans le geste – Beethoven ne le transcende pas en une composition musicale, il le mime. A l'inverse des œuvres religieuses d'un Bach, grand dramaturge par le signe expressif, mais aussi grand dislocateur du mot et de son sens qu'il soumet aux exigences impérieuses de ses architectures, texte et musique ne sont plus ici en symbiose, ni même en conflit : l'un assujettit, domine totalement l'autre. A ces passages où la musique, élément purement pittoresque, se borne à un rôle imitatif, s'opposent cependant les passages « composés » au sens fort du terme, du *Credo*, et notamment la gigantesque *Fugue* sur *In vitam venturi sæculi* qui couronne l'hymne. Et c'est la fugue, structure proprement musicale, fût-elle conduite avec la plus souveraine liberté, qui constitue le moment le plus puissamment expressif du *Credo*, unissant le pouvoir de la parole sublimée à celui d'un être musical doué d'une vie propre.

Au climat passionnel du *Credo* succède le recueillement du *Sanctus*. Son caractère est celui de la méditation, l'écriture est fine et nuancée, les tempi sont tranquilles, sauf ceux du puissant *Pleni sunt* et du *presto* fugué de l'*Osanna*. Les parties purement instrumentales prédominent ; quoique de vastes proportions, la forme respecte la fonction liturgique : c'est le moment de la consécration, pendant laquelle nulle voix humaine ne doit se faire entendre. De ces grands développements instrumentaux, le *Præludium* est le plus émouvant, dans le dépouillement de ses six voix polyphoniques. Le grand solo de violon du *Benedictus* est comme une vision nouvelle d'une aria de Bach. Il plane très haut, communique peu à peu son intensité expressive aux solistes, aux chœurs ; dans une tension croissante et dans des registres vocaux de plus en plus élevés, à peine tenables, éclate enfin le dernier *Osanna*.

Si le dramatisme du *Credo* s'exprime au niveau de la figure sonore même, celui de l'*Agnus Dei* s'exprime dans ses développements, et y acquiert une singulière présence. La triple invocation liturgique est déjà contenue dans l'*Adagio* initial. Le corps de l'hymne ne sera qu'un immense commentaire psychologique, un « poème symphonique » sur le thème de l'angoisse et de la supplication. Après le pathétique appel de la basse, puis de l'alto et du ténor, des quatre solistes enfin (c'est en même temps le caractéristique triple élan beethovenien), s'engage la lutte entre les thèmes de la paix et de la guerre. *Bitte um inneren und äusseren Frieden* – prière pour une paix intérieure et extérieure – c'est la paix dans la nature, la plus chère à son cœur, que Beethoven veut évoquer ici, avec des figures gracieuses à 6/8, très proches de la *Pastorale*. L'écho de la guerre, symbolisé aux timbales, aux trompettes, fait planer l'angoisse. Plus intense reprend l'*Allegretto*, et de nouveau il est menacé ; mais cette fois s'impose une image de l'angoisse beaucoup moins réaliste – et d'autant plus troublante : un *Presto* où s'affrontent deux rythmes indépendants. C'est une des pages les plus saisissantes de l'œuvre.

Par le triomphe du rythme de la basse – c'est le motif même du *Dona nobis pacem* – l'œuvre achève sa trajectoire dans la sérénité reconquise.

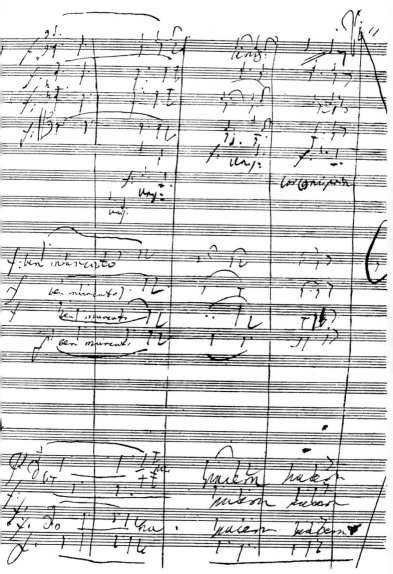

Manuscrit du Dona nobis pacem de la Missa Solemnis

Schiller, par Gerhard von Kügelgen, 1808.

Aucune œuvre de Beethoven ne possède une genèse aussi longue et aussi complexe que la *Neuvième Symphonie op. 125,* en ré mineur. L'œuvre qui, aux yeux du plus grand nombre, incarne Beethoven, se confond avec l'idée même de la musique de Beethoven, se confond aussi avec toute sa vie créatrice. Dès 1792 Beethoven, enthousiasmé par l' « Ode à la Joie » de Schiller, parue quelques années auparavant, forme le projet de la mettre en musique. Dès 1807, il pense à une œuvre orchestrale à laquelle s'uniront les voix et, en 1808, compose la *Fantaisie op. 80* pour piano, chœurs et orchestre, qui non seulement dans sa thématique, mais dans certains de ses développements préfigure, comme une esquisse encore tâtonnante, le finale de la *Neuvième.* Dès 1812, Beethoven parle d'une Symphonie en ré mineur ; en 1817 seulement il en ébauchera le premier mouvement, puis l'abandonnera. L'année suivante naît le projet d'une Symphonie avec chœurs : *Dans l'adagio, le texte sera un mythe grec, un cantique ecclésiastique. Dans l'allegro, fête à Bacchus*, note-t-il. En 1822-1823 les trois premiers mouvements de la *Neuvième* sont composés : mais Beethoven projette de leur donner un finale instrumental. C'est à la fin de 1823 que s'opère enfin la synthèse de toute l'œuvre, l'aboutissement d'une maturation de toute une vie : l'Ode de Schiller vient couronner l'œuvre.

Quel est le message de la *Neuvième Symphonie*? Est-il enclos dans l'œuvre et dans le poème, circonscrit, formulé une fois pour toutes, immuable?

Lorsque cesse le dialogue secret de la création, l'œuvre se détache de l'artiste, elle commence, seule, dans les consciences, une aventure aux issues incertaines. L'œuvre – nous y avons insisté – n'est pas une chose, immobile dans le temps et les cœurs. Par-delà même celui que l'artiste lui a dévolu, son sens devient lisible à travers les époques et les hommes, dans le seul mouvement, imprévisible, de sa pérégrination. Dans *notre* dialogue avec l'œuvre, nous sommes libres. Personne – ni, si cela était, l'artiste lui-même – n'a droit de régenter les sentiments, les idées, les exaltations qui naissent de ce dialogue : nous portons librement le choix de notre propre création face à l'œuvre. Mais il n'y a pas que vous, que moi, qu'une multiplicité d'interrogations librement divergentes. Il est des œuvres dont la destinée dépasse la vision solitaire : la *Neuvième* est de celles-là. Dans son cheminement d'un siècle et demi elle a forgé dans la conscience publique un message autour duquel les hommes se retrouvent et s'unissent. Par-delà les symboles et les devises multiples – parfois même contradictoires – qu'ils ont librement voulu lire dans la *Neuvième*, symbole de la Révolution française, ou des révolutions, symbole d'une Europe unifiée, d'une libre religion, d'une république platonicienne ou, simplement, appel – païen, chrétien, mystique ou rationnel – à l'amour et à la fraternité des hommes, se dégage son message universel, celui du perpétuel avenir d'une humanité *veillant*.

Plus encore que dans les autres œuvres de Beethoven nous apparaît ici la démesure entre la pensée musicale et les moyens de son investigation. La *Neuvième Symphonie* obéit-elle au « plan impeccable de sonate » (d'Indy)? Plus on interroge la partition, plus on écoute l'œuvre, plus elle semble brouiller ses traces, si claires en apparence. Émergeant d'un état initial chaotique, ambigu, sans tonalité déterminée, où flottent entre deux eaux les parcelles d'un avenir incertain, le thème principal du premier mouvement instaure sa puissance, révèle son formidable potentiel d'expansion. C'est en lui-même, en effet, en exploitant ses propres régions, qu'il trouvera les fonctions antagonistes nécessaires au développement, capables de lui tenir tête. Car aucun des thèmes secondaires – constellations fugaces qui apparaissent et disparaissent tour à tour – ne s'élève à la puissance d'interlocuteur dans la dialectique de la forme. Par-delà ses grandes articulations nettement lisibles : introduction (mesures 1-16), exposition (mesures 17-159), développement (160-300), « reprise » (301-426), coda (427-547), le premier mouvement apparaît comme un seul, immense développement, d'un bout jusqu'à l'autre. Ni répétition de la première étape (c'est la seule Symphonie qui abolit cette clause), ni reprise véritable, tellement la modification est radicale, c'est la trajectoire sans déviation, irréversible, d'un météore incandescent.

Le même élan et la même unité organique se retrouvent dans le second mouvement, *Molto vivace*, bâti sur le plan du *scherzo*, mais de proportions démesurées, comme dans les derniers Quatuors. Des liens de tonalité, de rythme et de thématique s'établissent entre les parties extrêmes et le *trio* central : le thème secondaire du *scherzo* est matériau thématique du *trio*. La tonalité commune de ré mineur relie le mouvement au mouvement initial de la Symphonie. Elle se précise dans les quatre mesures d'introduction, dans le fameux coup de timbales à découvert, foudroyant contraste de timbre et d'attaque, dont la puissance galvanisante se manifeste encore dans le corps du développement. L'introduction du morceau et sa conclusion sont déduites l'une de l'autre : ainsi s'opère la soudure de cet immense cercle, de cette ronde dionysiaque.

L'*Adagio molto e cantabile* ancre l'œuvre au plus profond de chacun de nous. Il est son mouvement le plus secret et, musicalement, le plus accompli. Ses deux visages ne sont pas antagonistes, mais, comme deux expressions différentes d'un même être, ils s'éclairent tour à tour. Variations, ou plutôt strophes entrecroisées d'un poème qui oscille entre la nostalgie et la sérénité : sans se confondre, les deux temps, *adagio* et *andante*, projettent l'un sur l'autre leurs ombres et leurs clartés, incrustés l'un dans l'autre.

Lorsque le chant de l'*Adagio* resurgit pour la dernière fois, dans la longue péroraison finale où les violons dessinent une contre-courbe ininterrompue, il est encore plus pénétrant et plus serein. Les instruments à vent – bois et cors – le portent, l'entourent, le transfigurent, dans une admirable polyphonie, tandis que résonne un appel, pressentiment d'avenir.

Presqu'enchaîné à l'*Adagio* – il n'y a pas de signe d'arrêt à la fin de celui-ci – le *Finale* débute par un trait fulgurant des instruments à vent et des timbales. Cet impact sonore, que Wagner appelle une « fanfare de l'épouvante » et qui, en termes modernes, serait un « groupe », nous arrache à un univers, nous projette dans un autre. Mais la véritable introduction au *Finale* est infiniment plus vaste et plus complexe. Près de cent mesures ouvrent les mille mesures du dernier mouvement, et ancrent celui-ci dans l'ensemble de l'œuvre d'une façon magistrale. Le double portail des groupes initiaux s'ouvre sur un immense péristyle où seront tour à tour évoqués les mouvements antérieurs de la Symphonie. Les récitatifs des violoncelles et contrebasses racontent le cheminement tâtonnant de l'artiste à l'intérieur de sa propre œuvre. Les paroles en sont absentes : mais les esquisses nous les restituent à l'état de prospection inspirée. *Oh non, ceci nous rappellerait trop notre état de doute,* s'écrie-t-il, lorsqu'apparaît, en tête du cortège, le fantôme du premier mouvement, avec sa tonalité en nébuleuse. L'évocation du *Scherzo* suit, avec les entrées successives de son thème allègre. *Cela non plus, ce n'est que plaisanterie, il faut chercher quelque chose de meilleur, de plus beau,* disent les esquisses. Puis vient l'*Adagio*, lui aussi symboliquement écarté : *Cela aussi... cela est trop tendre, il faut chercher quelque chose de plus éveillé.* Enfin, les instruments à vent font entendre, furtivement et comme de loin, le « thème de la Joie ». *Ha, le voici, il est trouvé – Joie !* s'écrie Beethoven, et l'orchestre jubile. Ainsi, c'est toute la Symphonie qui est le portique de l'*Hymne à la Joie*. Par les irruptions provoquées du souvenir, Beethoven résout génialement l'intégration organique du *Finale* dans l'œuvre et, par les récitatifs, intentionnellement privés de parole, mais prégnants de parole dans leur structure musicale, il prépare l'apparition des voix, les intègre à l'orchestre.

Avec le thème de l'*Hymne à la Joie*, dit à voix basse par les cordes graves, nous sommes à l'intérieur de l'édifice qu'articulent thématique, variations, styles d'écriture, prin-

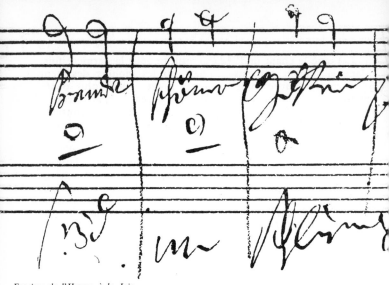

Esquisse de l'Hymne à la Joie

cipes harmoniques et rythmiques, alternances de l'orchestre, des solistes et des chœurs, et surtout, tempi.

Le thème du *Finale* de la *Neuvième Symphonie*, le plus universellement connu de toute la musique, a exigé de Beethoven des recherches inlassables. On en connaît plus de deux cents états. (Il se retrouve également, bien avant la Symphonie, dans certains *Lieder* de Beethoven, dans des contextes et des climats cependant sans rapport avec sa destinée et son sens final et, rappelons-le, dans la *Fantaisie op. 80.*) Pourquoi cette mélodie, si simple et si droite, a-t-elle été l'objet d'une si longue poursuite ? D'habitude, Beethoven réserve ces grands travaux d'esquisses à l'exploration des richesses latentes d'un thème : celui-ci doit contenir dans son état définitif toutes ses possibilités d'expansion et de métamorphose. Avec le thème de la *Neuvième*, en revanche, le but de la recherche semble exactement opposé : ce n'est pas la transfiguration, mais au contraire la permanence d'un visage musical que cherche le compositeur. Ce chant n'est pas matière première qui brûlera dans son développement. Il doit rester toujours lui-même, et être sur toutes les lèvres : c'est un hymne.

Ainsi, ce que nous appelons variations, dans le *Finale* de la Symphonie, c'est, en fait, un constant et obsédant retour ; c'est dans la majesté de ses dimensions musicales

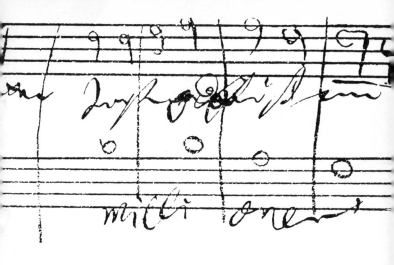

sans cesse amplifiées, non dans sa transformation, que le chant puise le pouvoir de se magnifier à l'infini, et dans l'architecture de ses blocs gigantesques, le pouvoir de se renouveler en demeurant lui-même. Blocs de temps dont le sens du poème schillerien, les styles de l'écriture, les alternances et les fusionnements de l'orchestre, des solistes et des chœurs, les tempi enfin et les fonctions des tonalités établissent la nature et les frontières, ils se confrontent et s'ordonnent selon un rythme grandiose. Ce n'est point la métamorphose chimique, comme dans les grandes Variations, ni les développements en flèche, comme dans les Sonates et les Symphonies, que cherche ici le compositeur, mais, échangeant ses pierres philosophales contre le granit, la glorification perpétuée d'une idée. Celle-ci, éthique avant que d'être musicale, dépasse le domaine de l'esthétique, pénètre dans celui de l'incantation collective : le *Finale* de la *Neuvième Symphonie*, dans sa structure même, porte, au-delà des salles de concert, sa destinée d'hymne.

La *Neuvième Symphonie* a-t-elle une fin ? Par-delà la résonance de ses derniers accords, nous la reprenons, indéfiniment. Elle n'est point un monument immobile qui s'achève en lui-même, mais un portique ouvert sur l'avenir des hommes et de leur art, un symbole du défi perpétuel de l'esprit créateur.

Des lointains ancêtres de Beethoven, qui cultivaient la terre flamande autour de Louvain, de Campenhout et de Leefdael, on ne sait rien. Peut-être leur nom qui signifie « jardin aux betteraves » (la particule « van » n'a aucune signification nobiliaire) suffisait-il modestement à les définir. Ludwig van Beethoven aurait cependant pu se prévaloir d'une lignée à sa mesure et selon son goût s'il avait connu l'existence d'une certaine Josine van Vlesselaer, femme Beethoven, brûlée comme sorcière en 1595. Était-ce déjà un esprit moderne, méconnu de son temps ? Au XVIIe siècle on retrouve à Malines et à Louvain les descendants de cette « créature », devenus citadins. C'est de la branche de Malines, dans une famille de boulangers et de menuisiers, que naît en 1712 un Ludwig van Beethoven musicien. C'est « Ludwig l'ancien », le grand-père dont Beethoven vénérera la mémoire et dont il gardera le sévère portrait toute sa vie.

Une dispute familiale lui fait prendre, à vingt ans, le chemin de l'Allemagne. Il s'installe à Bonn où il entre comme Hofmusikus dans la chapelle du prince-archevêque de Cologne, Clemens-August le fastueux. En attendant le titre longuement ambitionné de Hofkapellmeister, mal payé qu'il était, Ludwig l'ancien ouvre un commerce de vins. De sa femme, Maria-Josepha Poll, on retient seulement qu'elle buvait le fonds et qu'elle mourut alcoolique dans un asile de Cologne.

Les Beethoven sont désormais rhénans et musiciens. Johann, le seul enfant demeuré en vie de Ludwig, quoique moins doué que le Hofkapellmeister, entre jeune comme ténor à la chapelle princière. Il y a des points obscurs dans l'activité de cet homme mêlé aux intrigues compliquées de la cour. La rumeur publique en fait un agent de Belderbusch, ministre honni, et lui attribue « maintes ignominies, des dénonciations et autres choses de ce genre » (Erich Valentin).

Officiellement, Johann exerce sa charge avec ponctualité – et boit. Lorsqu'il épouse en 1767 la fille du chef-cuisinier (Hofküchen-inspektor !) de l'Electeur de Trèves, Marie-Magdeleine Keverich, veuve à dix-huit ans d'un valet de chambre de l'Electeur, le rigoureux Ludwig van Beethoven s'oppose de toutes ses forces à ce qu'il considère comme une mésalliance. La figure de cette femme douce et délicate est toute de tristesse, de résignation, poignante d'humilité sans recours. La tuberculose qui bientôt la mine accroît sa mélancolie. De ses sept enfants, trois seulement vivront. Le second, Ludwig, naît le 16 ou le 17 décembre 1770 dans le pauvre logis de la Bonngasse.

Devenir

BONN 1770-1793

Quoique sous le règne de Maximilian Friedrich von Königsegg-Aulendorff la musique soit moins à l'honneur que du temps de Clemens-August, elle est l'atmosphère même de ces principautés allemandes – elle est dès le premier jour celle de Ludwig van Beethoven. Comme son propre père l'avait préparé dès l'enfance à son métier de musicien, Johann, très tôt, met Ludwig au clavier, impatient de l'aide financière que l'enfant pourrait apporter au foyer. La légende s'est plu à exagérer la cruauté du père et à faire du petit Beethoven un enfant martyr, attaché au clavier qu'il inonde de ses larmes. Son éducation musicale fut cependant sévère. L'enfant déteste « travailler » ; il préfère poser sa main à sa guise sur le clavecin ou « racler à tort et à travers » du violon, sans musique. *N'est-ce pas beau ?* demande-t-il. Son père le menace d'un soufflet et l'astreint durement à des exercices de pure technique.

Le « complexe Mozart » sévissait alors chez les pères musiciens. Devant les dispositions exceptionnelles de son fils, Johann accroît ses ambitions : bientôt il exhibe à Cologne son « petit garçon âgé de six ans ». L'avertissement pour ce concert rajeunit Ludwig de deux ans, truquage publicitaire dont il sera dupe jusqu'à l'âge mûr. Quelques auditions à la cour, un voyage en Hollande trois ans plus tard, tentatives assez sporadiques, durent décevoir Johann. Beethoven ne fut jamais ce petit phénomène exhibé de cour en cour et de ville en ville que fut Mozart enfant.

Ludwig, qui abandonne l'école dès onze ans, a maintenant d'autres maîtres musicaux que son père. Maîtres de hasard et de rencontre, tel le bohême Tobias Pfeiffer, Musikus à l'ancienne manière, claveciniste et hautboïste « apprécié ». Il passe un an à Bonn, logeant chez les Beethoven, et quand vers minuit il revient du cabaret avec Johann, il réveille l'enfant et le fait travailler jusqu'au matin. Ludwig apprend également le violon, l'orgue avec le vieil Aegidius van der Eeden, organiste de la cour. Il est bientôt assez habile pour assurer tout seul la messe matinale au couvent des Minimes.

L'année 1782 apporte à Ludwig des contacts plus équilibrés et plus féconds. Le jeune Franz Gerhard Wegeler, son aîné de cinq ans, l'introduit dans la famille von Breuning qui sera, jusqu'à son départ pour Vienne, son foyer d'élection. Madame von Breuning, veuve d'un conseiller aulique, élève avec tendresse ses quatre enfants : Christoph, Stephan dont l'amitié accompagnera Beethoven tout au long de sa vie, Lenz, le plus proche ami de son adolescence, et une fille, Éléonore (Lorchen). L'aisance, une gaieté de bon ton règnent dans cette maison où une société cultivée se réunit. Les jeunes gens lisent Klopstock, s'essaient à la poésie, Lorchen et Lenz prennent des leçons de clavecin avec Beethoven qui improvise ou fait, à la mode du temps, des portraits musicaux. « Il fut bientôt traité, raconte Wegeler, comme l'enfant de la maison ; il y passait non seulement la plus grande partie du jour, mais même souvent la nuit. Là, il se sentait libre ; là, il se mouvait avec facilité : tout concourait à s'accorder gaiement avec lui et à développer son esprit. Plus âgé que lui de cinq ans, j'étais capable de l'observer et de l'apprécier. Madame von Breuning, la mère, avait le plus grand empire sur ce jeune homme souvent opiniâtre et maussade... On comprendra facilement, ajoute Wegeler, que Beethoven ait ressenti dans cette maison les premières et joyeuses expansions de la jeunesse. » Cet epanouissement est cependant souvent traversé de sautes d'humeur, de susceptibilités et d'amertumes d'enfant malheureux. Elles sont supportées avec amitié : « Il a encore un *raptus* », dit simplement Madame von Breuning.

C'est la même année que Beethoven rencontre son premier maître véritable, Christian Gottlieb Neefe, successeur du vieux van der Eeden comme organiste de la cour. Connu comme « maître du Lied et du Singspiel », c'est un homme sensible et passionné, grand admirateur des poètes modernes, ouvert aux idées de l'*Aufklärung*. D'emblée, il comprend Beethoven, son caractère, son infortune, et pressent en lui le génie.

L'enseignement de Neefe n'est peut-être ni très systématique, ni très approfondi sur le plan technique – on en discute encore. Mais il est enrichissant et stimulant, propre à dégager une personnalité. Pour Neefe la musique doit s'attacher étroitement à la vie psychologique. Avec les sonates de Philipp-Emmanuel Bach, il initie le jeune Beethoven aux problèmes de forme « actuels ». Il lui ouvre en même temps « le Clavecin bien tempéré ». Peut-être est-ce la grande œuvre de Bach qui, à cette époque où la mélodie accompagnée est reine, suscite en Beethoven le goût de la polyphonie. Après un long cheminement, ce goût, devenu obsession éclatera dans ses dernières œuvres. Mais pendant toute sa vie Beethoven, sourd, jouera les préludes et fugues de Bach et c'est de son interprétation que Czerny se réclamera pour son édition (d'ailleurs discutable).

Neefe ne tarde pas à offrir au jeune auteur de treize ans, qu'il présente déjà comme destiné à devenir « un second Wolfgang Amadeus Mozart », le plus précieux des encouragements. Il fait éditer ses premières œuvres, les *Variations sur une marche de Dressler* et trois *Sonates pour clavier* dédiées, comme il se doit, au prince-électeur Maximilian Friedrich. Surtout il fait de lui son auxiliaire – bénévole – non seulement à l'orgue, mais au théâtre de la cour. Ainsi Ludwig se familiarise avec l'orchestre, le répertoire et acquiert à travers l'expérience du théâtre une première culture musicale et littéraire. A l'orgue ou au pupitre des altos il joue Grétry, Cimarosa, Paesiello et surtout Mozart. Le théâtre de Bonn représente Schiller, Shakespeare qui accompagneront toute sa vie Beethoven ; Neefe met en musique Klopstock que pendant longtemps Beethoven, comme le jeune Werther, lit quotidiennement.

A l'avènement du jeune archiduc Maximilian Franz, après la mort de Maximilian Friedrich, le ton change à Bonn. Cette résidence endormie, cette cour économe s'ouvrent aux idées nouvelles sous l'impulsion d'un prince qui, à l'instar de son frère Joseph II, veut mériter le titre de despote éclairé. La torture est supprimée, la justice réformée ; la création d'une université va susciter un courant de pensée actif, pénétré des idées qui amenèrent la Révolution française. Le nouveau prince-archevêque est également passionné de musique – n'avait-il pas promis à Mozart de le nommer son maître de chapelle ? – et ne se déplace jamais sans son orchestre.

Sur la liste des musiciens de sa chapelle, que Max Franz fait dresser lors de son arrivée à Bonn, les Beethoven père et fils figurent en ces termes : « N° 8. Johann Beethoven a une voix qui se perd tout à fait, est depuis longtemps en service, très pauvre, d'une conduite passable, et marié. N° 14. Ludwig Beethoven, un fils du Beethoven sub N° 8, n'a aucun traitement, mais a servi deux ans et a tenu l'orgue pendant l'absence du Kapellmeister Luchesy. Il est de bonne capacité, encore jeune, de bonne discrète conduite, et pauvre. »

Max Franz, tirant les conséquences de la situation, ôte quinze florins du traitement de Johann et nomme Ludwig second organiste, avec cent cinquante florins d'appointements.

Voici Beethoven entré dans le monde des adultes. Non pas enfant prodige, guidé et patronné, mais titulaire d'une charge, organiste-adjoint, répétiteur au théâtre, cherchant, malgré son horreur des leçons, à recueillir les élèves particuliers qui quittent son père dont non seulement la voix mais la conduite « se perdent tout à fait ». Insistons-y : Beethoven a alors quatorze ans. Il se croit plus jeune encore. Ces charges, ces responsabilités assumées si tôt furent peut-être plus importantes encore dans la formation de son caractère que dans sa formation musicale. Dès maintenant se dessine la figure de Beethoven luttant : luttant pour sa subsistance, pour celle de sa famille, luttant pour sa dignité sociale, luttant pour préserver, dans un intérieur de triste gêne, ses moments de rêve, de pensée profonde à la fenêtre de sa mansarde. Déjà se devine ce personnage à la fois plein d'élans de cœur, du besoin d'exprimer, de communiquer, et raidi dans une susceptibilité fière, naïve et maladroite, parfois agressive, qui souvent transforme en heurts ses contacts avec le monde.

Mais déjà son « talent » dépasse le cercle amical des Breuning. Le comte von Waldstein, favori du jeune prince-électeur, encourage Beethoven à improviser, l'aide de toutes les façons, lui offre son premier piano. Il obtient enfin de Max Franz que Beethoven aille à Vienne parfaire son éducation musicale.

De ce voyage du printemps 1787 nous savons peu de choses, sinon que « les deux personnages qui firent le plus d'impression sur Beethoven furent l'empereur Joseph II et Mozart ». Mozart, malade, écrit « Don Juan » ; de son enfance, il a gardé l'horreur des précoces génies. Donna-t-il à Beethoven quelques leçons, prédit-il que « ce jeune homme ferait parler de lui dans le monde » ? Il semble en tout cas qu'il n'ait pas encouragé le jeune musicien rhénan à rester à Vienne. De lui, Beethoven ne reçoit ni l'enseignement, ni la consécration que peut-être il espérait. Au reste, Beethoven, qui reçoit des nouvelles alarmantes de sa mère, reprend dès juin la route de Bonn, voyageant avec une hâte croissante. Il arrive pour voir mourir le 17 juillet *une si bonne, une si aimable mère, sa meilleure amie.* Malade lui-même, mélancolique, Beethoven assiste à l'écroulement de ce foyer déjà si délabré : la dernière-née de Maria-Magdalena, une petite fille d'un an, meurt en novembre. Johann achève de sombrer dans l'ivrognerie, vend au marché les robes de sa femme.

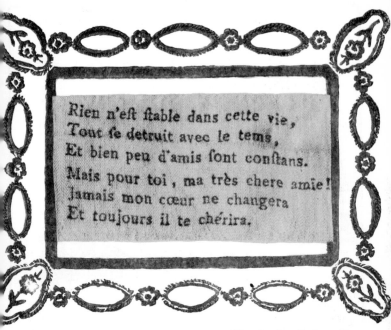

Rien n'est stable dans cette vie,
Tout se detruit avec le tems,
Et bien peu d'amis sont constans.
Mais pour toi, ma très chere amie!
Jamais mon cœur ne changera
Et toujours il te chérira.

*Billet adressé par Beethoven à la
baronne de Westerholt en 1790*

Les plus jeunes enfants, Johann et Karl, sont désormais entièrement à la charge de Ludwig.

C'est chez les Breuning encore que Beethoven trouve une atmosphère sereine, une amitié compréhensive – et tout un parterre de jeunes filles en fleur, les amies de Lorchen, objets de ses premières flammes amoureuses, assez vagabondes ·semble-t-il. Promenades champêtres, poèmes de Klopstock, soirées de musique reconstruisent pour nous le cadre innocent de ces idylles. Un petit bouquet fané accompagné de vers de Lorchen, retrouvé à la mort de Beethoven, des vœux pour l'année 1791 laissent deviner que celle-ci fut son premier amour partagé : *Soyez aussi heureuse qu'aimée*, dit Ludwig. « O puisse ton bonheur – égaler tout à fait le mien ! Alors ce serait cette année – atteindre au but suprême », répond Lorchen.

Ces années sont pauvres d'événements. Haydn passe à Bonn en décembre 1790, mais Beethoven ne lui est même pas présenté. Il vient pourtant de composer ses deux premières œuvres importantes :

*Prise du gouverneur de la Bastille,
le 14 Juillet 1789.*

une *Cantate pour la mort de Joseph II* en mars et, six mois après, une autre pour célébrer l'avènement de son successeur Léopold II. Ni l'une ni l'autre ne sont jouées, semble-t-il à cause de leur difficulté d'exécution. Sur le plan musical, peu d'ouvertures donc : c'est le climat spirituel de Bonn, l'éveil intellectuel et politique qu'a suscité l'avènement de Max Franz, qui marquent peut-être le plus décisivement le jeune Beethoven au cours de ces années. En 1789, insatisfait de ses connaissances de hasard, il s'inscrit à l'université. La nouvelle université de Bonn accueille toutes les aspirations d'un monde qui se cherche. En littérature, la liberté de l'inspiration personnelle, la recherche d'une nouvelle morale, l'énorme travail des idées politiques ne peuvent être dissociés. Beethoven,qui n'avait pas reçu de culture classique, découvre d'emblée comme un tout ces préoccupations de l'homme moderne de son temps. Il suit les cours de littérature allemande d'Euloge Schneider et peut-être l'entend-il célébrer en chaire la prise de la Bastille par un poème enflammé qui déchaîne l'enthousiasme de ses étudiants.

Max Franz tient son rôle de prince libéral dans cette aspiration à des temps nouveaux. C'est la Rhénanie d' « Hermann et Dorothée », qui accueillera à bras ouverts les soldats de l'an II, porteurs enthousiastes du message de liberté et de fraternité. Ce message déjà fait vibrer Beethoven dans l'œuvre de Schiller. « Je vous envoie, écrit en janvier 1793 Fischenich, professeur à l'université, à Charlotte von Schiller, une composition sur la « Feuerfarbe » et désirerais avoir votre opinion là-dessus. Elle est d'un jeune homme d'ici, dont les talents musicaux deviendront universellement célèbres... Il veut aussi mettre en musique « la Joie » de Schiller, et même toutes les strophes. J'en attends quelque chose de parfait ; car, pour autant que je le connaisse, il est porté vers tout ce qui est grand et sublime. »

Beethoven est alors sur le point de quitter Bonn. A un second passage de Haydn, il a pu lui soumettre une de ses Cantates, et Haydn, sans doute frappé des promesses qu'elle contient, invite le jeune Rhénan à faire des « études suivies ». Waldstein, l'ami dévoué, invoquant cet oracle, obtient du prince-électeur qu'il envoie Beethoven suivre les leçons du maître à Vienne tout en lui conservant son titre et son traitement d'organiste.

Le 2 novembre 1793, Beethoven quitte – pour toujours – les rives du « Vater Rhein », accompagné des vœux ambitieux et confiants de ses amis : « Recevez des mains de Haydn l'esprit de Mozart », écrit Waldstein sur son album.

Force
VIENNE 1793-1802

Vienne, capitale du monde germanique, est un carrefour aux confins de l'Italie et du monde slave ; capitale du plus éclairé des despotes éclairés, Joseph II « l'ami des hommes », elle reste obstinément traditionaliste. Ville de cour, de palais et de promenades, de faubourgs demi-champêtres dans son cadre de collines boisées, c'est une ville de mode et de plaisir. Il y règne des manières à la fois délicates et riantes, le goût de la vie de société, des concerts intimes, de la musique entre amis. La musique est l'air même de Vienne, à l'église, à l'opéra, dans les salons, à la promenade... Mais c'est la musique de Salieri, non de Mozart, celle des prouesses virtuoses, celle – délicieuse certes – de la rue. Terre promise des génies – est-ce un mirage ? Vienne leur a été cruelle à tous. Elle ne semble les élever au triomphe que pour les précipiter plus brutalement dans l'oubli. Soudain elle a boudé « Don Juan » et, après le succès de « la Flûte enchantée », elle vient d'enterrer Mozart à la fosse commune.

François II, qui régnera toute la vie de Beethoven, vient de succéder à Léopold. Sur ce peuple facile il instaure alors un gouvernement timoré et tatillon, obscurantiste et policier. L'Église est toute-puissante et, tolérant le plaisir, condamne la pensée. La rareté des journaux, le nombre de livres interdits, l'indifférence générale pour le mouvement des idées qui bouleverse l'Europe frappent les étrangers, frappent certainement le jeune Rhénan, lecteur de Schiller, qui débarque en cet automne 1793.

De cette atmosphère dont plus tard il souffrira tant, Beethoven ne se soucie pas tout d'abord. Il en retient les charmes, les riches suggestions musicales ; il est venu pour apprendre et pour conquérir. Dès son arrivée, nous le voyons, accompagné du baron Zmeskall von Domanovecs qui sera son premier introducteur dans la société viennoise et, jusqu'à la fin, l'ami le plus fidèle et le plus dévoué, se présenter chez « papa Haydn ». Curieux rapports : Beethoven trouve Haydn peu attentif, Haydn est quelque peu effarouché par cet élève qui sacrifie les règles à sa fantaisie (conformément aux préceptes de Neefe) et fait passer dans sa musique « ce que sa nature a de sombre et d'étrange ». Mais Haydn pressent cette force bouillonnante et le surnom qu'il donne au jeune homme, « notre grand Mogol », traduit bien l'attitude d'un vieux maître qui sent une époque finir avec lui.

Beethoven va aussi trouver des musiciens moins prestigieux, techniciens réputés, pour connaître sinon pour pratiquer les règles rigoureuses de son art : Schenk qui corrige les devoirs faits pour Haydn ; Albrechtsberger, organiste de la cour et maître de chapelle de la cathédrale, célèbre théoricien du contrepoint, *expert*, d'après Beethoven, *dans l'art de fabriquer des squelettes musicaux ;* Salieri qui enseigne les habiletés de la composition lyrique « à l'italienne ». Tous jugent Beethoven opiniâtre et indocile, et Albrechtsberger le qualifie « d'exalté libre penseur musical ». Mais cet élève indiscipliné puise auprès d'eux et auprès des instrumentistes qu'il fréquente, comme à Bonn, assidûment, d'utiles connaissances techniques, une discipline de l'imagination musicale.

Beethoven refusa d'inscrire sous le titre de ses premiers ouvrages « élève de Haydn » ; il avouait pourtant bien longtemps après : *Lorsque je revis mes premiers manuscrits, quelques années après les avoir écrits, je me demandai si je n'étais pas fou de mettre dans un seul morceau de quoi en composer vingt. J'ai brûlé ces manuscrits, afin qu'on ne les voie jamais, et j'aurais commis bien des extravagances sans les bons conseils de papa Haydn et d'Albrechtsberger.*

Les « écoles » de Beethoven ne durèrent pas longtemps. Dès son arrivée, recommandé par le prince-archevêque Max Franz, par Waldstein, introduit par Zmeskall, il est adopté par l'aristocratie mélomane de Vienne : la comtesse von Thun, Lichnowsky, Razumovsky, Lobkowitz, van Swieten, von Browne, Liechtenstein, von Fries, Schwarzenberg. Nous retrouvons tous ces noms parmi les souscripteurs des *Trios op. 1* et, au long des années, dans les dédicaces des œuvres de Beethoven. Jusqu'en 1796 Beethoven loge chez le prince Karl von Lichnowsky, non dans l'état de domesticité qu'ont connu Haydn et Mozart, mais en ami entouré, soutenu, respecté. Le prince assume pour lui le rôle d'un véritable imprésario et s'évertue, au piano, à lui prouver que ses compositions sont, malgré leur difficulté, parfaitement exécutables. *Il s'en est fallu de peu*, racontait Beethoven, *que la princesse ne me mette sous un globe de verre, afin que nul indigne ne me touche ou ne m'effleure de son souffle*. Beethoven, qui trouve ce respect tout naturel, garde d'ailleurs toute sa liberté d'allures, une indépendance ombrageuse accentuée par son humeur souvent brusque, ses manières sans complaisance, son dialecte rhénan.

C'est comme pianiste et comme improvisateur que Beethoven se fait d'abord connaître. Pourtant il n'avait pas reçu une véritable formation de virtuose et ce n'est certes pas la technique « perlée » qui le fait bientôt considérer comme le « géant des pianistes ». Chaque année l'oppose à un nouveau rival : Gelinek, Steibelt, Wölffl, Cramer, Clementi, Hummel. Tout Vienne se passionne pour ces duels dont Beethoven, subjuguant son auditoire jusqu'aux larmes par ses improvisations, sort invariablement vainqueur. A vrai dire, ses adversaires lui reprochent de n'avoir « ni pureté, ni précision, de ne produire qu'un bruit confus par l'emploi des pédales ». « Le jeu étonnant de Beethoven, raconte Tomaschek, si remarquable par les développements hardis de son improvisation, me toucha le cœur d'une façon tout à fait étrange. Je me sentis si profondément humilié dans mon être le plus intime que je ne touchai plus au piano pendant plusieurs jours... J'entendis encore Beethoven à son deuxième concert... Cette fois, je suivis le jeu de Beethoven avec un esprit plus calme. Certes, j'admirais son jeu fort et brillant, mais ses sautes fréquentes et hardies d'un motif à l'autre ne m'échappèrent pas ; elles suppriment l'unité organique et le développement graduel des idées... L'étrangeté et l'inégalité semblaient être, pour lui, le principal de la composition. » Ces réserves effrayées sont pour nous le plus précieux des témoignages. Virtuosité, succès mondain – cela n'est qu'apparence : l'improvisation est pour Beethoven la plus audacieuse, la plus riche, la plus moderne des créations.

Tous les vendredis matin, on faisait de la musique chez le prince Lichnowsky. C'est là que sont joués pour la première fois les trois *Trios op. 1* dédiés au prince, les trois *Sonates op. 2* dédiées à Haydn. Le troisième *Trio* – que Haydn conseilla à Beethoven de ne pas publier ! – étonna les auditeurs par « sa force de volonté énergique, sa gravité noblement humaine ». Toute l'inspiration beethovenienne n'est-elle pas déjà formulée dans ces quelques mots ? En mars 1795 Beethoven affronte le grand public de Vienne avec trois concerts où il joue un concerto de Mozart avec une cadence de lui, où il improvise et donne son premier *Concerto* terminé l'avant-veille (premier *Concerto* composé, mais publié après l'*op. 15*, il recevra le titre de *Deuxième Concerto* pour piano et orchestre et le numéro d'*op. 19*.) La *Wiener Zeitung* nous a laissé de ces débuts un compte rendu laconique : « Le célèbre M. Ludwig van Beethoven a recueilli l'approbation unanime du public dans un concert tout nouveau pour piano-forte composé par lui-même. » Les premières *Sonates*, le second *Concerto* sont bientôt joués à leur tour. En 1800, lors d'une grande « académie », Beethoven donne sa *Première Symphonie* qui semble avoir provoqué à la fois l'enthousiasme et le scandale, et le *Septuor*, vite populaire. Avec les six *Quatuors op. 18* dédiés au prince Lobkowitz, avec les *Créatures de Prométhée*, ballet pour le célèbre Vigano, Beethoven dont les détracteurs jugent les compositions « recherchées, factices, sans mélodie et par surcroît irrégulières », mais qui suscite des admirations passionnées, devient une des personnalités dominantes du monde musical viennois. Les tournées qu'il fait comme pianiste en 1796 et 1798 à Prague, Leipzig, Dresde, Presbourg, Budapest, Berlin, sont autant

de succès. *Cela va bien pour moi,* écrit-il, *et je peux dire de mieux en mieux... Mon art m'apporte amis et honneur ; que puis-je désirer de plus ?*

Beethoven n'avait pas quitté Bonn sans esprit de retour. Parfois, à travers un rappel nostalgique des amitiés et des enthousiasmes des années rhénanes, on le sent méfiant devant son succès, tenté d'échapper au tourbillon mondain de Vienne. Mais dès l'hiver 1793, son père meurt. Bientôt ses frères rejoignent Beethoven à Vienne où Kaspar Karl devient fonctionnaire et où Johann s'établit comme pharmacien. Avec la disparition de la chapelle princière (les conquêtes de la Révolution ont fait de Bonn une sous-préfecture française), un dernier lien se rompt. Beethoven restera à Vienne. C'est à des leçons, aux éditeurs, aux commandes des mélomanes que, malgré la pension qu'il reçoit à partir de 1800 du prince Lichnowsky, il demande de lui assurer une vie indépendante.

Ces premières années de Vienne furent les plus heureuses de la vie de Beethoven. Plus qu'à Bonn le destin lui est favorable. Très vite il s'est affirmé dans ce nouveau milieu exigeant et brillant. Il est entouré d'amis véritables : non seulement les grands seigneurs qui le soutiennent – les Lichnowsky, Lobkowitz notamment – mais les amis d'adolescence, Wegeler qui habite Vienne de 1794 à 1796, Lenz von Breuning qui mourra peu de temps après son retour à Bonn, puis Stephan von Breuning. Zmeskall von Domanovecs, le violoniste Schuppanzigh qui dirige le quatuor du prince Lichnowsky surnommé par les contemporains le « Quatuor Beethoven », le jeune pasteur courlandais Karl Amenda, plus tard le baron von Gleichenstein partagent sa vie et ses pensées. Amitiés de Beethoven : plus que dans ce que nous savons de ses amours, c'est là qu'on le découvre tout entier : un sentiment élevé, profond de la communion de l'amitié, privilège d'une élite d'hommes sensibles, une générosité qui ne se dément jamais, une jovialité bon enfant, pleine de facéties et de boutades. Et puis, soudain, l'orage. Combien de fois Beethoven s'est cru insulté, ses sentiments méconnus ! Il s'emporte en reproches amers, maudit la méchanceté des hommes, rompt pour toujours. Bientôt suit une explosion tout aussi violente de regrets ; il supplie qu'on lui rende estime et amitié, se justifie éperdument, atteste de sa bonté foncière, de la pureté de ses sentiments. Ses plus profondes affections ne sont pas à l'abri de ces bouleversements ; ce n'est guère qu'avec ses très grands amis qui quittent Vienne assez vite – Wegeler, Amenda – que s'établissent, par lettres, des rapports sans nuages.

Autour de Beethoven gravite aussi tout un monde de comparses, d'admirateurs, d' « amis d'utilité » qui reconnaissent son génie, se plient à son ascendant, acceptent ses *raptus*, ses rebuffades, assument pour lui les mille tâches de la vie matérielle devant laquelle il restera toujours désarmé. Beethoven, qui se confère le titre humoristique et incontesté de *généralissime*, distribue titres et charges du *regni Beethoveniensi* ; Zmeskall doit lui fournir ses plumes, Schuppanzigh, surnommé *Mylord Falstaff*, est accablé de brocards sur son embonpoint, rudoyé quand il se plaint des difficultés d'écriture des Quatuors ; Ries, fils de l'ancien maître de chapelle de Bonn, élève de Beethoven, est son *famulus*, le vieux Krumpholz, son *fou*. Son humour épanoui – *je me sens déboutonné*, dit-il souvent – est parfois féroce : ce sont les coups de patte du lion qui joue. La force est là toute proche, la force qui, dit Beethoven, *est la morale des hommes qui se distinguent des autres, et c'est la mienne.*

Au cours de ces premières années de Vienne, années d'affirmation et de succès, passent aussi des silhouettes féminines. Silhouettes passagères : par Ries nous savons que « Beethoven était très fréquemment amoureux mais, le plus souvent, pour peu de temps. Comme je le plaisantais une fois sur la conquête d'une belle dame, il avoua que c'était elle qui l'avait enchaîné le plus fortement et le plus longtemps, pendant sept mois... »

En 1799 arrive à Vienne la famille von Brunsvik, originaire de Hongrie, qui tiendra une grande place dans la vie affective de Beethoven : un fils Franz, violoncelliste, fou de musique, que Beethoven dans ses lettres appellera *mon frère* et à qui il dédiera l'*Appassionata*, Thérèse, l'esprit lettré du groupe, éprise d'absolu, Joséphine, nonchalante et charmante, Charlotte enfin. Beethoven donne des leçons de plusieurs heures aux jeunes filles, écrit des variations pour leur album, est de toutes les parties. C'est alors qu'a été conclue avec Joséphine « l'amitié intime, l'amitié de cœur qui dura jusqu'à la fin de sa vie » dont Thérèse parle souvent dans son journal et dont il sera encore question. En juin 1799, Joséphine épouse le comte Deym et s'installe à Vienne, tandis que la famille regagne Martonvásár, en Hongrie, où Beethoven séjournera l'année suivante.

Dès ces années de jeunesse qui semblent annoncer une maturité triomphante, l'ombre apparaît. Dans deux lettres de juin 1801 aux amis lointains Amenda et Wegeler, Beethoven dévoile le drame qu'il cache à ceux qui l'entourent, la lutte de l'espérance, l'horreur de la résignation, *pitoyable ressource*. En même temps, en contraste avec la hantise de cette condamnation, s'affirme un sentiment de maîtrise dans l'art, de certitude personnelle. *Car ton Beethoven vit très malheureux*, écrit-il à Amenda, *en lutte avec la nature et le Créateur ; j'ai déjà souvent maudit ce dernier, de livrer ses créatures au moindre hasard, de telle sorte que la plus belle floraison en est exterminée et broyée. Sache que la plus noble partie de moi-même, mon ouïe, s'est beaucoup affaiblie. Déjà à l'époque où tu étais près de moi, j'en sentais les symptômes, et je les cachais ; depuis, cela a toujours été pire. Si cela pourra jamais être guéri ? – il faut attendre ; cela doit tenir à l'état de mon intestin. Pour celui-ci, je suis presque tout à fait rétabli ; mais les oreilles se guériront-elles ? Je l'espère, bien sûr, mais timidement, car de telles affections sont les plus incurables. Quelle triste vie est maintenant la mienne !...*

Oh, comme je serais heureux si mes oreilles étaient en bon état ! Alors je courrais vers toi – mais je dois rester à l'écart partout ; mes plus belles années s'écouleront sans que je puisse réaliser les exigences de ma force et de mon talent...

En novembre une nouvelle lettre, à Wegeler, résonne d'un accent tout différent. Plus guère d'espoir, semble-t-il, pour son ouïe, mais la lutte, la force et peut-être un autre bonheur. *Je vis de nouveau d'une façon un peu plus douce, je me mêle davantage aux hommes. Tu peux à peine croire quelle vie esseulée, lamentable j'ai menée depuis deux ans. Mon infirmité se dressait partout devant moi comme un spectre, et je fuyais les hommes ; il fallait qu'on me croie misanthrope, alors que je le suis si peu. – Ce changement, une fée, une jeune fille bien-aimée l'a accompli ; elle m'aime et je l'aime ; de nouveau voici, depuis deux ans, quelques instants de bonheur, et c'est pour la première fois que je sens que le mariage peut rendre heureux ; malheureusement elle n'est pas de ma classe sociale, et maintenant – à dire vrai je ne pourrais pas me marier maintenant – je dois encore abattre une rude besogne.*

Voici la première des grandes aimées beethoveniennes. Quelle est cette jeune fille, *cette fée, qu'il aime et qui l'aime ?* Giulietta Guicciardi nous apparaît beaucoup moins angélique, beaucoup moins aimante que Beethoven ne l'évoque. Elle était la cousine, par sa mère, des Brunsvik. Demi-italienne, à son entrée dans le monde viennois en l'été 1800, son charme, sa coquetterie de dix-sept ans font fureur. Frivole, jouant avec une cruauté peut-être inconsciente de son pouvoir, elle accepte aussi négligemment qu'un bouquet la Sonate *Quasi una fantasia* qui lui est dédiée. De ce que fut cet amour, des sentiments de Giulietta, de ceux même de Beethoven, nous ne savons presque rien – et tout le reste est légende... Giulietta préféra à Beethoven le comte Gallenberg – qui se croyait compositeur lui aussi – et, décidée à l'épouser, n'hésita pas à demander à Beethoven de lui prêter de l'argent. Les aventures de Giulietta mariée ne sont guère à son honneur et, bien des années plus tard, c'est avec mépris que Beethoven évoque son souvenir. *Si j'avais ainsi voulu sacrifier ma force vitale avec la vie, que serait-il resté pour le noble, pour le meilleur ?*

Sans doute dès le début de l'été 1802 Beethoven a-t-il abandonné ce rêve. Il continue à voir Giulietta cependant, mais c'est à Joséphine

Deym qu'il apporte les deux premières *Sonates opus 31*. « Ces œuvres anéantissent tout ce qui a été écrit auparavant » écrit-elle à Thérèse.

Aquarelle de Beck Torzik imaginant
Beethoven devant sa maison d'Heiligenstadt

En avril ou mai Beethoven, avide de solitude, de silence, s'installe pour l'été à Heiligenstadt. C'est un de ces lieux à la Rousseau qu'il aimera toute sa vie pour la bonhomie et la sérénité de leur vie villageoise, la simplicité d'une nature clémente toute proche. D'abord il y travaille : la *Deuxième Symphonie* est sur sa table, Ries vient de Vienne prendre des leçons. Beethoven espérait-il une amélioration de son ouïe ? Mais déjà il n'entend plus un berger jouer de la flûte dans les bois... A l'automne, il sait qu'il ne guérira pas. Comment parler de ce désespoir, de cette oscillation entre la révolte et le sacrifice, de ce désarroi au seuil du suicide ? Cette confession, cet appel pathétique adressé à ses frères – en fait, message à l'humanité entière – connu sous le nom de *Testament d'Heiligenstadt*, reste une des clés de Beethoven, découvre ce que les œuvres elles-mêmes de cette époque taisent, mais que l'œuvre entière dévoile.

Ici Beethoven écrivit le testament d'Heiligenstadt

*P*our mes frères Karl et Johann Beethoven. O vous qui pensez
que je suis un être haineux, obstiné, misanthrope, ou qui me faites passer
pour tel, comme vous êtes injustes ! Vous ignorez la raison secrète de ce
qui vous paraît ainsi. Dès l'enfance, mon cœur et mon esprit inclinaient
à la bonté et aux sentiments tendres. Même j'ai toujours été disposé à
accomplir de grandes actions ; mais pensez seulement que depuis bientôt
six ans je suis frappé d'un mal pernicieux, que des médecins incapables
ont aggravé. Déçu d'année en année dans l'espoir d'une amélioration,
contraint pour finir d'envisager l'éventualité d'une infirmité durable
dont la guérison, si même elle était possible, exigerait des années, né avec
un caractère ardent et actif, porté aux distractions de la vie en société,
j'ai dû, de bonne heure, m'isoler, vivre loin du monde en solitaire. Parfois je voulais bien arriver à surmonter tout cela, oh ! comme alors j'ai
été durement ramené à renouveler la triste expérience de ne plus entendre.
Et pourtant il ne m'était pas encore possible de dire aux hommes : Parlez
plus fort, criez, car je suis sourd. Ah ! comment pouvoir alors avouer la
faiblesse d'un sens qui chez moi devrait être dans un état de plus grande
perfection que chez les autres, d'un sens que j'ai possédé autrefois dans
sa plus grande perfection, dans une perfection telle que bien peu de musiciens l'ont jamais connue ?

Oh ! je ne le peux pas, aussi pardonnez-moi si vous me voyez me
tenir à l'écart, alors que je me mêlerais volontiers à vous. Mon malheur
m'est doublement pénible, car par lui je dois devenir méconnu ; pour moi,
plus de stimulant dans la société des hommes, plus de conversations intel-
ligentes ni d'épanchements mutuels. Absolument seul, ou presque, c'est
juste dans la mesure où l'exige la plus absolue nécessité que je peux me
laisser reprendre par la société, je suis aussitôt tenaillé d'une angoisse
terrible, celle d'être exposé à laisser remarquer mon état....

146

C'est l'art, et lui seul, qui m'a retenu. Ah! il me paraissait impossible de quitter le monde avant d'avoir donné tout ce que je sentais germer en moi, et ainsi j'ai prolongé cette vie misérable – vraiment misérable, un corps si sensible que tout changement un peu brusque peut me faire passer du meilleur état de santé au pire. *– Patience – c'est bien cela, il faut que je la prenne maintenant pour guide, je l'ai fait.* – J'espère tenir dans ma résolution d'attendre jusqu'à ce qu'il plaise aux Parques impitoyables de rompre le fil. Peut-être irai-je mieux, peut-être non, je suis courageux. – A vingt-huit ans, être déjà obligé à devenir philosophe, ce n'est pas commode ; pour un artiste, c'est encore plus dur que pour un autre homme – Divinité, tu vois d'en haut au fond de moi, tu le peux, tu sais que l'amour de l'humanité et le désir de faire du bien m'habitent. O hommes, si jamais vous lisez ceci un jour, alors pensez que vous n'avez pas été justes avec moi, et que le malheureux se console en trouvant quelqu'un qui lui ressemble et qui, malgré tous les obstacles de la Nature, a tout fait cependant pour être admis au rang des artistes et des hommes de valeur...

Ainsi c'est fait : *– avec joie je vais au-devant de la mort – si elle vient avant que j'aie eu l'occasion de déployer encore toutes mes possibilités pour l'art, alors elle vient encore trop tôt pour moi, malgré mon dur Destin, et je voudrais qu'elle soit plus tardive* – pourtant même alors je serai heureux ; ne me délivrera-t-elle pas d'un état de souffrances sans fin ? – Viens quand tu voudras, je vais courageusement au-devant de toi. – Adieu, et ne m'oubliez pas tout à fait dans la mort, j'ai droit à cela de votre part, car dans ma vie souvent j'ai pensé à vous rendre heureux, soyez-le.
Heiligenstadt, le 6 octobre 1802.

Ludwig van Beethoven
Pour mes frères Karl et Johann, à lire et à exécuter après ma mort.

Heiligenstadt, le 10 octobre 1802 – ainsi je prends congé de toi – et bien tristement – oui, l'espérance aimée – que j'ai emportée ici, d'être guéri au moins à un certain point, il faut que je l'abandonne complètement. Comme les feuilles d'automne tombent et se fanent – ainsi elle aussi est desséchée pour moi ; presque comme je vins ici, je m'en vais. Même ce courage altier qui m'animait souvent dans les beaux jours d'été – il a disparu. – O providence – laisse une fois m'apparaître un jour de joie pure – depuis si longtemps déjà l'écho intime de la vraie joie m'est étranger ! – O quand, ô quand, ô Divinité – pourrai-je l'éprouver de nouveau dans le temple de la nature et de l'humanité ? – Jamais ? – non – ce serait trop dur !

Destin
1802-1812

Le testament d'Heiligenstadt ne fut découvert que vingt-cinq ans plus tard, à la mort de Beethoven. Ce cri reste secret. Beethoven a-t-il vaincu le destin ? Quand il rentre à Vienne il a dans ses carnets l'esquisse du premier mouvement de l'*Héroïque*.

Sans révéler son mal, il se plonge de nouveau dans la vie musicale de Vienne. « Beethoven était alors enjoué, aimant la plaisanterie, jovial, de bonne humeur, heureux de vivre, caustique, et souvent même satirique. La maladie ne l'habitait pas encore, la perte du sens si indispensable à un musicien n'avait pas encore assombri sa vie. » Tel le voit Ignaz von Seyfried, chef d'orchestre et compositeur, qui le connut à cette époque. Suivons Seyfried dans l'une des trente demeures que « sa passion singulière de changer fort souvent de logement » fit habiter à Beethoven durant son séjour à Vienne, dans cette tanière où règne « eine wahrhaft admirable Confusion ». Le spectacle est toujours le même : « Livres et musique disséminés dans tous les coins, là les restes d'un repas froid, ici des bouteilles décachetées ou à demi vides, là, sur un pupitre à pied, les esquisses rapides d'un nouveau quatuor, ici, les restes du déjeuner, là, sur le piano, sur des feuilles griffonnées, les matériaux d'une symphonie grandiose, encore dans les limbes, comme un embryon ; ici des épreuves attendant leur délivrance, des lettres d'amis ou d'affaires jonchant le sol... »

« Toute la matinée, depuis le premier rayon de lumière jusqu'à l'heure de se mettre à table, était consacrée au travail fastidieux de la copie au net, le reste de la journée était occupé à penser et à mettre en ordre les idées. A peine la dernière bouchée avalée, si par hasard il n'avait in petto une longue excursion en vue, Beethoven faisait sa promenade ordinaire : comme piqué par un aiguillon, il faisait à pas redoublés deux fois le tour de la ville, qu'il pleuve, neige, grêle, que le thermomètre marque seize degrés de froid. » Le visiteur inconnu qui, arrachant le musicien à son travail, parvient à se faire ouvrir la porte reçoit souvent, tout d'abord, un accueil rébarbatif. Mais qu'un mot, une interprétation au piano plaisent à Beethoven et le voilà parlant de ses lectures, de ses goûts, échangeant idées et opinions avec la plus grande franchise. « Alors nous causions philosophie, religion, politique, et surtout de Shakespeare, son idole », raconte le baron de Trémont qui le connut quelques années plus tard, en 1809. « Beethoven n'était pas un homme d'esprit, si l'on veut entendre par là celui qui dit des choses fines et spirituelles. Il était naturellement trop taciturne pour que sa conversation fût animée. Ses pensées s'émettaient par boutades, mais elles étaient élevées et généreuses, quoique souvent peu justes. Il y avait entre lui et Jean-Jacques Rousseau ce rapport de jugements erronés venant de ce que leur humeur misanthropique avait créé un monde à leur fantaisie sans application exacte à la nature humaine et à l'état social. Mais Beethoven était instruit. L'isolement de son célibat, sa surdité, ses séjours à la campagne l'avaient fait se livrer à l'étude des auteurs grecs et latins et, avec enthousiasme, à celle de Shakespeare. »

Mais c'est à l'art, *l'art seul qui l'a retenu*, que Beethoven se consacre avec emportement. Prodigieuse floraison, dans laquelle rien ne trahit la crise d'Heiligenstadt. La *Deuxième Symphonie*, le *Christ au mont des Oliviers* sont joués le 5 avril 1803. Pendant toute cette année Beethoven travaille à l'*Héroïque* qu'il terminera au printemps 1804 ; il esquisse deux autres symphonies qui ne furent jamais réalisées. Il écrit la *Sonate pour piano et violon op. 47* dédiée à Kreutzer, ébauche la *Sonate op. 53* dédiée au comte Waldstein, l'*Appassionata*. Sur les instances de Schikaneder – directeur du théâtre An der Wien, librettiste de « la Flûte enchantée » – Beethoven songe dès 1802 à composer un opéra. Seuls quelques airs seront ébauchés et nous en ignorons jusqu'au sujet. Mais au moment où il termine l'*Héroïque*, déjà il travaille à *Leonore-Fidelio*.

Grande symphonie intitulée Bonaparte puis *Sinfonia Grande–Eroica–per festeggiare il sovvenire di un grand Uomo*... Entre ces deux titres, un monde a changé, un idéal a été trahi, des illusions se sont écroulées. En 1798 Beethoven, républicain convaincu, avait fréquenté l'ambassade de la République française dirigée par Bernadotte, foyer épisodique et tapageur des idées révolutionnaires à Vienne. C'est Bernadotte lui-même – d'après ce que Beethoven a raconté beaucoup plus tard à Schindler – qui lui suggéra de célébrer par une symphonie le plus triomphal, le plus lyrique des héros de la République, le général Bonaparte. Beethoven n'écrivit l'œuvre que cinq ans après. Bonaparte lui apparaissait alors, d'après Schindler, comme l'égal des grands consuls de Rome, le vainqueur qui offre la paix à ses ennemis, le sauveur d'une république en déliquescence.

Extrait d'un cahier de classe de Delacroix en 1813

« Je fus le premier, raconte Ries, qui apportai à Beethoven la nouvelle que Bonaparte s'était déclaré empereur. Là-dessus, il entra en fureur et s'écria : *Ce n'est donc rien de plus qu'un homme ordinaire ! Maintenant, il va fouler aux pieds tous les droits humains, il n'obéira plus qu'à son ambition, il voudra s'élever au-dessus de tous les autres, il deviendra un tyran !* Il alla vers sa table, saisit la feuille de titre, la déchira de bout en bout et la jeta par terre. La première page fut récrite à nouveau, et alors la symphonie reçut pour la première fois son titre : *Sinfonia eroica.* »

A cette époque d'épanouissement créateur s'affirme un sentiment fervent. Depuis plusieurs années déjà Beethoven trouve auprès de Joséphine von Brunsvik, devenue comtesse Deym, l'amitié féminine la plus séduisante, la compréhension la plus délicate, une passion de musique. En janvier 1804 le comte Deym meurt subitement. A partir de l'automne, les lettres de Charlotte, puis de Thérèse qui séjournent chez leur sœur nous montrent Beethoven constamment auprès d'elle. Cette passion aussi reste étonnamment secrète pour nous. Quelques mots, quelques témoignages nous laissent deviner qu'elle a été partagée.

Les sentiments mutuels de Beethoven et de Joséphine, leur proche aboutissement semblent certains à leurs familiers. Cependant, à la fin de 1805, Joséphine quitte Vienne menacée par la guerre. Qu'est-il advenu ? Joséphine a-t-elle reculé, s'est-elle sacrifiée, pourquoi ? La différence de classe sociale n'est pas ici une explication suffisante. Thérèse, qui souhaitait pourtant à Joséphine « la force de dire non », note, bien des années plus tard, dans son journal : « Beethoven ! – Pourquoi ma sœur Joséphine ne l'a-t-elle pas épousé quand elle était veuve de Deym ? Elle aurait été plus heureuse avec lui qu'avec Stackelberg ! C'est l'amour de ses enfants qui l'a décidée à renoncer à son propre bonheur ! » De Beethoven lui-même nous ne savons rien. Joséphine porte-t-elle seule la responsabilité de la séparation qui peut-être – nous nous le demanderons – ne mit pas fin à cet amour ? A travers ses ruptures, ses renoncements, ses projets toujours remis, on devine chez Beethoven comme un recul devant l'engagement, devant la réalisation qui limite et entrave. C'est dans son œuvre que ses aspirations doivent s'accomplir, sur le plan le plus haut, le plus universel. En 1805, il achève *Leonore*, première version de *Fidelio*, hymne passionné à l'amour conjugal.

Leonore est créé le 20 novembre 1805 dans une atmosphère de fièvre et de défaite. La guerre a vidé Vienne, la plus grande partie de la haute société s'est réfugiée dans ses terres ; le 12 novembre les troupes françaises entrent dans la capitale. Le 2 décembre,

Napoléon anéantira l'armée austro-russe à Austerlitz. Dans la salle à demi vide, peu de Viennois – Stephan von Breuning, les Lichnowsky cependant – et une majorité d'officiers français. C'est un échec complet. Les critiques viennois et allemands jugent l'œuvre trop longue, sans expression, et l'*Allgemeine Musikalische Zeitung* de Leipzig lui reproche sans ambages « son manque d'originalité, la banalité de l'ouverture, la longueur et les répétitions dans les morceaux de chant ».

L'histoire de *Fidelio* ne fait que commencer. Dans l'immédiat, les amis de Beethoven ne se résolvent pas à l'échec et le conjurent, au cours d'une réunion chez le prince Lichnowsky, de couper l'opéra qui étire trop longuement le livret médiocre de Bouilly. *Pas une note !* crie Beethoven qui veut s'enfuir avec sa partition. Il faut que la princesse se jette à genoux, invoquant « l'esprit de la mère de Beethoven qui le supplie par sa bouche » pour que le musicien enfin cède. Collin, Breuning s'emploient à resserrer l'action dramatique. La paix revenue trouve Beethoven travaillant d'arrache-pied à l'opéra qui est redonné le 29 mars. L'accueil est meilleur. Cependant le grand public ne vient pas et l'opéra ne fait pas recette. « Mozart avec ses opéras, explique le baron von Braun, directeur du théâtre, enlevait toujours le public, la foule. » *Je n'écris pas pour la foule*, hurle Beethoven, hors de lui, *j'écris pour les gens cultivés. Rendez-moi ma partition ! Je veux ma partition ! Tout de suite !*

C'est ainsi que *Leonore* ne fut encore donné que deux fois. L'œuvre, oubliée, discréditée, attendra huit ans d'être récrite à nouveau pour une reprise triomphale. Mais déjà Beethoven crée. *Quoique je sache fort bien ce que vaut mon Fidelio*, disait-il, *je sais avec non moins d'évidence que la symphonie est mon élément propre. Quand j'entends quelque chose en moi, c'est toujours le grand orchestre.* Il compose au cours de l'année 1806 la *Quatrième Symphonie*, ébauche la *Cinquième* et la *Sixième*, la *Messe en ut*, termine le *Concerto pour violon*, le *Quatrième Concerto pour piano*, l'*Appassionata*. Il se jette en même temps dans la musique la plus pure, la plus exigeante : ce sont les trois *Quatuors opus 59* commandés par le comte Razumovsky, ambassadeur de Russie, beau-frère de Lichnowsky et qui, après lui, entretient le quatuor Schuppanzigh. *Oh ! ce n'est pas pour vous* dit Beethoven aux exécutants effarés, *c'est pour les temps à venir.* C'est l'affirmation triomphante du génie visionnaire, de la victoire sur le destin, même sur le plan le plus personnel : *De même que tu te jettes ici dans le tourbillon mondain*, écrit-il en marge d'une esquisse du *Neuvième Quatuor*, *de même tu peux écrire des œuvres, en dépit de toutes les entraves qu'impose la société. Ne garde plus le secret sur ta surdité, même dans ton art !*

Conçues, écrites, jouées en même temps – en décembre 1808 –
la *Cinquième* et la *Sixième Symphonie* sont de véritables symphonies-
jumelles au point que leurs numéros d'opus étaient jusqu'à leur
publication inversés. Dissemblables cependant jusqu'au contraste,
elles symbolisent pour l'auditeur deux aspects essentiels du personnage beethovenien.

Ainsi le destin frappe à la porte, a dit Beethoven du motif rythmique
initial du premier mouvement qui domine toute la *Cinquième Symphonie.* Motif familier au reste, que l'on trouve aussi fréquemment
dans les œuvres antérieures de Beethoven que le mot *destin* sous sa
plume. Qu'est-ce que le destin pour Beethoven ? Ce n'est pas le *fatum*
inexorable des Anciens ; ce n'est pas une prédestination de portée
métaphysique. C'est, plus concrètement, la personnification des
obstacles qui se dressent devant sa libre volonté, c'est l'adversaire
dans cette lutte véhémente qui pour lui se confond avec la vie et
n'aboutit que dans l'œuvre. La *Cinquième Symphonie* elle-même est
une lutte, lutte haletante, forcenée et finalement triomphante,
affirmation agissante de l'homme, de la puissance de sa volonté
irréductible qui lui permet *d'être plus que son destin.*

Celui que son destin a fait solitaire, celui qui dans la vie sociale
se conduit avec une maladresse d'étranger myope, se retrouve d'accord avec lui-même au sein de *l'abondance et de l'enchantement de
la nature... Que je suis content, dès que je peux errer dans les taillis,
dans les forêts, parmi les arbres, les herbes, les rochers ! Aucun homme
ne saurait aimer la campagne autant que moi.* Bonheur tout physique
d'abord, besoin vital de se replonger dans le monde élémentaire,
de demander, comme Antée, son énergie à la terre. Épanouissement
serein, innocent, loin des contraintes et des déceptions de la société.
Bonheur plus spéculatif à la contemplation de l'énergie foisonnante,
jamais lassée, de la nature, accord profond du créateur humain et
de la création continue qu'est le monde. *La description est inutile,*
note-t-il en marge de la *Sixième Symphonie* ; *s'attacher plutôt à
l'expression du sentiment qu'à la peinture musicale* : l'inspiration que
Beethoven trouve, inépuisablement, dans la nature, ne le conduit
pas à la peindre, mais à célébrer le bonheur de cet accord profond.

Beethoven cependant s'est séparé, sur une brouille tonitruante,
de Lichnowsky. Privé de la protection du prince et de la rente que
celui-ci lui faisait, il cherche à obtenir, en ces années 1806-1808,
une situation stable qui lui permette de composer sans préoccupations matérielles. L'édition de ses œuvres lui apporte des revenus
appréciables mais irréguliers, et son rêve est de recevoir une rente
suffisante d'un éditeur auquel il assurerait l'exclusivité de sa création.
Il n'y parviendra jamais. Aussi se décide-t-il, encouragé par Lobko-

witz, à proposer à « l'honorable direction des théâtres impériaux et royaux de la cour » un contrat aux termes duquel il s'engagerait, moyennant un traitement fixe annuel de 2 400 florins, à fournir un opéra, un opéra-comique ou divertissement, et des morceaux de circonstance chaque année. Malgré les amis qu'il compte au·conseil d'administration des théâtres – les princes Lobkowitz, Schwarzenberg, Esterhazy – Beethoven n'enlève pas ce bastion de l'art officiel. Il touche ici la limite, qui restera infranchissable, de sa réussite à Vienne. Très vite un groupe de musiciens et de connaisseurs ont reconnu en lui le génie et, lorsqu'ils ne peuvent le suivre, accusent leur propre infirmité ; très vite un milieu aristocratique le reconnaît comme le successeur de Mozart. Mais il n'a conquis et ne conquerra de son vivant – sauf par conjonctions momentanées – ni le grand public, la foule qui venait aux opéras de Mozart, ni les milieux musicaux officiels.

Beethoven, dont la notoriété croît à l'étranger, va-t-il quitter Vienne ? Souvent il a pensé à des tournées. Presque chaque année il échafaude un nouveau projet de voyage. Chaque année quelque raison, quelque prétexte obscur le fait y renoncer. Là aussi se révèle comme une crainte plus ou moins consciente de l'inconnu, un recul devant la réalisation. Mais maintenant c'est une solution plus radicale, un départ plus définitif qu'envisage Beethoven. *Enfin je me vois contraint, par des intrigues, cabales et bassesses de toute nature, à quitter la seule patrie allemande qui nous reste. Sur l'invitation de S. M. le roi de Westphalie, je pars comme chef d'orchestre...* Beethoven va-t-il abdiquer son indépendance, son patriotisme allemand, figurer dans cette cour française où règne, sur un État factice créé par le vainqueur, un frère de Napoléon ? En adieu à Vienne Beethoven donne, le 22 décembre 1808, un grand concert où il prodigue comme par défi les chefs-d'œuvre de ces années fécondes : la *Symphonie pastorale*, la *Cinquième Symphonie*, des fragments de la *Messe en ut*, le *Quatrième Concerto pour piano*, une *Fantaisie pour piano seul*, la *Fantaisie pour piano, orchestre et chœurs op. 80*.

Mais Beethoven ne partira pas – l'avait-il au reste résolu ? – car intervient la comtesse Maria von Erdödy. Romain Rolland a pu dire que « nulle n'a su comme elle avoir accès au plus intime du cœur de Beethoven ». Beethoven l'avait rencontrée dès 1802 et dans les années suivantes leur amitié devient plus étroite ; en 1808 il habite dans sa maison. Maria von Erdödy vit séparée de son mari, et Trémont dit qu'elle est pour Beethoven ce que Madame d'Houdetot a été pour Jean-Jacques Rousseau. « La chère comtesse », raconte Reichardt, musicien berlinois qui entend Beethoven improviser chez elle, « toujours souffrante et pourtant émouvante de gaieté, et l'une de ses amies, également hongroise, éprouvaient un tel plaisir tendre et enthousiaste à chaque trait d'une belle audace, à chaque passage d'une délicatesse achevée, que leur vue m'était aussi agréable que le travail et l'exécution magistrale de Beethoven. Heureux artiste qui peut compter sur de tels auditeurs ! J'étais très heureux de voir là l'excellent Beethoven, et de l'y voir très choyé, d'autant plus qu'il a, dans la tête et dans le cœur, un caprice malheureux et hypocondriaque, selon lequel tout ici le persécute et le méprise. »

Maria von Erdödy se rebelle à l'idée d'un départ. Elle demande à Beethoven d'exposer ses conditions et, aidée par le dévouement du comte von Gleichenstein, relance les grands seigneurs viennois admirateurs du musicien. Le prince Kinsky, le prince Lobkowitz, l'archiduc Rodolphe répondent à cet appel. Lobkowitz, chez qui a été jouée pour la première fois l'*Héroïque,* son beau-frère Kinsky comptent dès longtemps parmi les sectateurs les plus dévoués de Beethoven. L'archiduc Rodolphe, frère de l'empereur, a en 1806-1807 choisi Beethoven comme maître, au grand scandale des traditionalistes viennois. C'est un jeune prélat sensible et maladif, médiocrement doué, mais qui professe à l'égard de Beethoven assez d'admiration dévouée pour faire céder les préventions de la cour et les prescriptions de l'étiquette. Le 1er mars 1809, les princes signent le « décret » suivant :

« Les preuves que M. Louis van Beethoven nous donne chaque jour de son talent extraordinaire et de son génie de compositeur nous ont inspiré l'idée de lui fournir l'occasion de dépasser les hautes espérances qu'on est autorisé à fonder sur l'expérience actuelle. Comme il est démontré d'autre part que l'homme ne peut entièrement se vouer à son art qu'à la condition d'être libre de tout souci matériel, et que ce n'est qu'alors seulement qu'il peut produire ces œuvres grandes et élevées qui sont la gloire de l'art, les soussignés ont formé la résolution de mettre M. Louis van Beethoven à l'abri du besoin, et d'écarter de la sorte les obstacles misérables qui pourraient s'opposer à l'essor de son génie. En conséquence, les soussignés s'obligent à lui compter annuellement la somme de 4 000 florins... »

C'est la dignité de Beethoven plus encore que son besoin de sécurité matérielle qui est ici satisfaite. *Tu vois,* écrit Beethoven à Gleichenstein, *combien ma situation ici est devenue honorable. Pourvu que les seigneurs se considèrent comme les co-auteurs de chaque nouvelle grande œuvre,* souhaitait-il dans un billet antérieur, *tel serait le point de vue auquel je désirerais, le premier, considérer la situation, et ainsi serait évitée l'apparence selon laquelle je toucherais un traitement pour rien.*

Déjà l'Autriche et la France sont de nouveau en guerre. Beethoven qui travaille au premier mouvement de son *Cinquième Concerto pour piano* note en marge des esquisses : *Chant de triomphe pour le combat ! Attaque ! Victoire !* L'inspiration triomphale de Beethoven va être bientôt troublée par les revers autrichiens, le siège et le bombardement de Vienne, puis la seconde occupation avec son cortège de vexations, d'humiliations, de disette. A l'automne, avec la paix de Vienne (14 octobre), la garnison française quitte la ville. Beethoven est encore ébranlé, malcontent ; il ressent dans tout son être la privation de ces mois d'été à la campagne qui sont pour lui le retour même à la vie. Pourtant il se remet au travail : il achève le *Cinquième Concerto,* le *Dixième Quatuor,* travaille à la *Sonate des Adieux (L'adieu, l'absence, le retour)* dédiée à l'archiduc Rodolphe qui avait fui Vienne avec la famille impériale. Dans l'hiver 1810 il retient de ses lectures de Gœthe « Egmont », hymne à la liberté, à la fierté et à l'indépendance invincibles du héros qui aspire à *monter plus haut encore* dans la vie morale.

Bientôt va surgir dans sa vie Bettina Brentano, la jeune amie de Gœthe, messagère du romantisme. Elle apportera au musicien une amitié enthousiaste et vibrante, une compréhension aiguë à un moment de profond découragement. En effet, Beethoven, qui souvent parle de son désir de trouver dans le mariage l'amour exclusif, sanctifié par un lien moral, s'était attaché alors à Thérèse Malfatti, *la volage Thérèse qui traite tout dans la vie si légèrement.* Thérèse, semble-t-il, traita Beethoven avec la même légèreté. Lorsque sa demande est repoussée en mai 1810, Beethoven se sent *précipité des régions de la plus haute extase dans une chute profonde.* Il est douloureusement atteint (il a alors quarante ans) par un sentiment d'échec, de solitude. *Je ne peux donc chercher un point d'appui qu'au plus profond, au plus intime de mon être ; ainsi à l'extérieur il n'y en a absolument aucun pour moi. – Non, rien que des blessures pour moi dans l'amitié et les sentiments du même genre. – Qu'il en soit ainsi, pour toi, pauvre Beethoven, il n'y a pour toi aucun bonheur de l'extérieur, c'est toi qui dois te créer tout en toi-même ; seulement dans le monde idéal tu trouveras des amis.*

Le passage de Bettina à Vienne est comme la réponse lumineuse à ce lamento et Beethoven, désespéré en mai, dit en juillet : *Le bonheur me poursuit. Chère Bettina, jeune fille chérie...* lui écrit-il après son départ ; on sent que cette amitié enthousiaste est proche de l'amour. Mais Bettina se fiance en décembre 1810 avec Joachim von Arnim qui l'aimait depuis longtemps et Beethoven lui écrit de nouveau au moment de son mariage sur un ton tout aussi intime et chaleureux. *Pour Gœthe,* dit-il dans cette lettre, *si vous lui écrivez à mon sujet, cherchez tous les mots qui lui expriment mon respect et mon admiration*

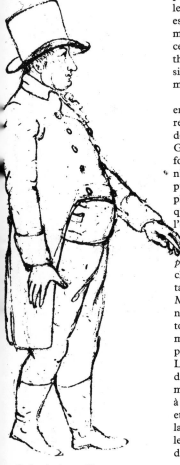

Gœthe, dessin par Riemer.

les plus profonds... *Aussi bien, comment remercier assez un grand poète, le joyau le plus précieux d'une nation.* Par Bettina, Beethoven espère pouvoir enfin connaître Gœthe, *son Dieu,* sur les poèmes duquel il vient de composer, après *Egmont,* plusieurs Lieder. Mais Gœthe, « l'homme le plus clair d'Europe », vieillissant, est pris d'effroi et de dégoût devant la montée du romantisme; il juge morbide ce retour aux forces élémentaires. Beethoven lui est suspect et il taxe l'enthousiasme de Bettina « d'entêtement vraiment borné ».

Gœthe et Beethoven se rencontreront en juillet 1812 aux eaux de Tœplitz, rendez-vous mondain de l'Allemagne et de l'Autriche. De leur première entrevue Gœthe nous a laissé une définition profonde et admirable de Beethoven : « Je n'ai encore jamais vu un artiste plus puissamment concentré, plus énergique, plus intérieur. Je comprends très bien que son attitude doit être extraordinaire à l'égard du monde. » Mais Beethoven trouve bientôt que *l'air des cours plaît trop à Gœthe, plus qu'il ne convient à un poète,* et l'estime de Gœthe garde quelque chose de forcé, d'un peu effrayé : « Son talent m'a plongé dans l'étonnement. Mais c'est malheureusement une personnalité sans frein. Il n'a sans doute pas tort de .trouver le monde détestable ; mais vraiment il ne le rend ainsi plus plaisant ni pour lui ni pour les autres. » L'anecdote a popularisé l'attitude opposée des deux grands hommes devant le monde, et chacun connaît celle – discutée à la vérité – qu'à racontée Bettina : Gœthe et Beethoven rencontrent, en promenade, la famille impériale. Gœthe se range sur le côté du chemin, chapeau bas et profondément courbé, tandis que Beethoven

« enfonce son chapeau sur sa tête, boutonne son paletot et va donner, les bras derrière le dos, en plein dans le tas ». Gœthe a fait plus qu'inspirer le musicien ; Beethoven, comme il l'a dit lui-même, *l'a porté en lui toute sa vie.* Mais par-delà les vingt années qui les séparent, deux époques, deux conceptions du monde, de l'homme, de l'art se séparent en eux.

Cet été 1812, l'été de l'achèvement de la *Septième Symphonie*, de la composition de la *Huitième*, l'été de la rencontre avec Gœthe, est aussi l'été de la lettre à l'*immortelle bien-aimée*, le nœud secret et douloureux de la vie de Beethoven. *Mon ange, mon tout, mon moi... A qui s'adresse ce cri haletant, ces pensées qui se pressent déjà vers toi, mon immortelle Bien-Aimée, parfois joyeuses, puis de nouveau tristes, demandant au Destin s'il nous exaucera. – Vivre, je ne le peux qu'entièrement avec toi ou pas du tout, j'ai même résolu d'errer au loin jusqu'au jour où je pourrai voler dans tes bras et pourrai me dire tout à fait dans ma patrie auprès de toi, puisque, tout entouré par toi, je pourrai plonger mon âme dans le royaume des esprits. – Oui, hélas ! il le faut – tu te résigneras d'autant mieux que tu connais ma fidélité envers toi, jamais aucune autre ne peut posséder mon cœur, jamais – jamais – ô Dieu, pourquoi faut-il s'éloigner de ce qu'on aime ainsi, et pourtant ma vie à Vienne maintenant est une vie misérable – ton amour a fait de moi à la fois le plus heureux et le plus malheureux des hommes...*

Cette lettre fut-elle jamais envoyée, fut-elle rendue ? Beethoven la garda toute sa vie, auprès du testament d'Heiligenstadt et des deux portraits de Giulietta et de Maria von Erdödy trouvés à sa mort dans un tiroir secret. Longtemps on a discuté

Beethoven, croquis par Lyser.

de sa date, maintenant établie : 6 juillet 1812. Toutes les femmes que Beethoven a aimées, ou peut-être aimées, toutes les silhouettes qui ont traversé sa vie ont été passionnément épiées, interrogées. Est-ce Giulietta encore ou la *liebe, liebe, liebe* Maria von Erdödy ? Est-ce, comme on l'a longtemps cru, Thérèse von Brunsvik ? Est-ce Joséphine Deym, Amalie Sebald, cantatrice berlinoise qu'il avait rencontrée l'année précédente ? Est-ce une inconnue ?

Des noms ont été écartés. Beethoven n'a pas revu Giulietta depuis 1803 ; les lettres à Maria von Erdödy datées de 1815 ne permettent pas de supposer une grande passion si proche, non plus que les billets adressés à Amalie Sebald en septembre 1812. Le journal de Thérèse, enfin déchiffré, ne montre pour Beethoven qu'une très grande amitié. Lorsque la lettre de 1812 fut publiée (comme adressée à Giulietta et datée, il est vrai, de 1806), Thérèse nota : « Elle doit être adressée à Joséphine que Beethoven aimait passionnément... Ils étaient nés l'un pour l'autre, et ils vivraient tous les deux s'ils s'étaient unis. »

Est-ce donc Joséphine ? Joséphine que Beethoven avait voulu épouser en 1805 et qui n'avait répondu qu'à contrecœur en 1810 à la demande du baron von Stackelberg, précepteur de ses enfants ? Quand elle revient à Vienne, elle est ruinée, malheureuse, profondément éloignée de son mari qui, en mai 1812, disparaît soudain. Joséphine elle-même confie ses enfants à Thérèse et nous ne savons rien d'elle au cours de ce mois de juillet. Quand elle rejoint sa sœur Thérèse, elle attend un nouvel enfant qui n'est certainement pas de Stackelberg et qui naîtra le 9 avril 1813. Était-elle à Prague au moment où Beethoven y était, puis à Karlsbad ?

Brigitte et Jean Massin qui, dans leur remarquable ouvrage sur la vie de Beethoven et l'histoire de son œuvre, ont analysé cette énigme avec maîtrise et objectivité, nous donnent toutes les raisons qu'ils ont de le croire : les termes de la lettre à l'immortelle bien-aimée, ceux de certaines notes postérieures du journal de Beethoven correspondent de façon troublante à la situation de Joséphine abandonnée d'un mari qu'elle n'aime pas, puis au retour de Stackelberg, à la naissance de l'enfant. Aucun document, aucune lettre ne dément cette hypothèse. Mais, Brigitte et Jean Massin y insistent, nous n'avons non plus aucune preuve positive. C'est ainsi que les lettres de Beethoven à Joséphine et à Thérèse, que Minona von Stackelberg, la fille de Joséphine née en avril 1813, s'était fait confier pour y faire des recherches sur sa mère, ont toutes disparu. Sous un poétique portrait de Joséphine, ils ajoutent donc scrupuleusement un point d'interrogation au titre incertain « d'immortelle bien-aimée la moins improbable ».

Beethoven, apparemment si ouvert, si peu mystérieux dans sa vie personnelle, a su préserver, par-delà la mort, le secret de cette ombre.

ttina Brentano

Thérèse von Brunsvik

Joséphine von Brunsvik

aria von Erdödy

Giulietta Giucciardi

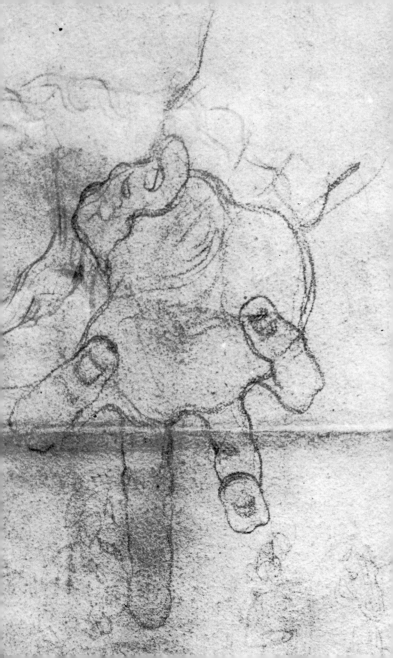

Dépassement
1812-1827

Cet été fécond et passionné est suivi d'une chute brutale, d'un long et profond abattement. Dans la lettre à l'immortelle bien-aimée Beethoven demandait au destin s'il l'exaucerait. Mystérieux espoir – devenu soudain désespoir – *Résignation, résignation la plus profonde à ton Destin !* écrit-il à l'automne dans son carnet... *Tu ne peux plus être homme, pour toi tu ne le peux plus, seulement pour autrui : pour toi, il n'y a plus aucun bonheur sauf en toi-même, dans ton art. O Dieu ! donne-moi la force de me vaincre moi-même ! Rien désormais ne peut plus m'enchaîner à la vie.*

Ce *bonheur dans l'art* que Beethoven appelle comme le rachat de son malheur et de son sacrifice, comme un devoir qui le rattache à la vie va, lui aussi, l'abandonner. Après la prodigieuse floraison des dix dernières années – huit Symphonies, un Opéra, les Concertos, les Sonates, les Quatuors – après cette impulsion décisive qu'il a donnée à son art, pendant cinq ans Beethoven ne composera presque plus. A part la révision faite en deux mois de *Fidelio*, à part des œuvres de circonstance, quelques rares chefs-d'œuvre émergent seuls de cette détresse.

Que fait Beethoven ? Ses amis le voient découragé, négligé dans sa tenue, malade jusqu'à se croire condamné, obsédé par la mort, s'interrogeant sur le suicide. Il s'abandonne lui-même, profondément atteint dans sa force vitale, atterré par le silence de son inspiration, assailli de difficultés matérielles. *L'honorable situation* que lui avait faite le décret des princes s'effondre dans les contestations et les procès. Déjà Beethoven avait éprouvé des difficultés à toucher sa rente, puis la dévaluation du florin en 1811 l'avait considérablement dépréciée. Les princes avaient accepté de la réévaluer. Mais le prince Kinsky meurt aussitôt après d'un accident de cheval, et ses héritiers refusent de payer sa part. Malgré sa grande fortune, son amour de la musique a finalement ruiné le prince Lobkowitz ; il a désormais un conseil judiciaire, et là aussi Beethoven doit plaider. Pour toucher la part de l'archiduc Rodolphe, il doit lui donner des leçons qui dévorent son temps et l'excèdent.

Bientôt une autre lutte, épuisante, toujours à recommencer, va l'accaparer. Son frère Karl meurt en novembre 1815. Quoique moins odieux que Johann – *mon frère non fraternel* – il n'avait guère répondu à l'affection de Beethoven, le brouillant avec ses amis et n'hésitant pas, à l'occasion, à commettre des indélicatesses comme intermédiaire avec les éditeurs. Johann, malgré les efforts de Beethoven, avait fini par épouser sa gouvernante, dotée pourtant d'une fille naturelle ; Karl, lui, avait une femme dont l'inconduite était notoire et qui n'inspirait à Beethoven qu'horreur et mépris. Tant de dissentiments et de vilenies n'arrachaient à Beethoven que ce mot lamentable : *Malgré tout, c'est mon frère*, et il se réjouissait d'avoir dépensé sans compter pour adoucir les derniers mois de la vie de Karl. Or, avant de mourir, Karl avait successivement confié la tutelle de son petit garçon de neuf ans à son frère seul, puis à sa femme et à son frère conjointement.

Ces dispositions sont à l'origine de cinq ans de procès acharnés et de drames qui ne cessèrent jamais. La sévère idée que Beethoven se fait du devoir ne l'inspire pas seule à ce moment où, contraint par le destin, il doit se résigner à la solitude : *O terribles circonstances*, écrivait-il en 1813, *qui n'étouffent pas mon sentiment pour la vie de famille, mais sa réalisation !* Cet homme de quarante-trois ans voit dans l'éducation d'un enfant une œuvre de vie à laquelle il se consacre avec emportement : le petit Karl sera l'image de son idéal, le compagnon de sa solitude, un *monument à son nom*. Les projets, les illusions les plus nobles président aux efforts pédagogiques et aux sacrifices de Beethoven ; ses soucis et ses déceptions seront à la mesure même de ces ambitions passionnées. Karl, confié à son oncle, puis à sa mère, puis de nouveau à son oncle au gré des décisions judiciaires, subit les contrecoups de la lutte forcenée dont il est l'enjeu (Beethoven ne va-t-il pas jusqu'à accuser sa belle-sœur d'avoir empoisonné son frère !). Beethoven, souvent malade, dépassé

Karl van Beethoven

par les difficultés domestiques, ne parvient pas à construire un foyer pour *son orphelin ;* il essaie de le garder chez lui, mais doit finalement le mettre en pension. Il lui interdit de voir sa mère, lui apprend à la mépriser comme indigne. Ces tiraillements font de Karl un enfant dissimulé, peu équilibré, dont les sautes de conduite gouvernent désormais tout l'être de Beethoven.

Ces années de stérile tristesse, de maladie et de lutte apportent paradoxalement à Beethoven la seule consécration officielle éclatante qu'il ait connue. Après la retraite de Russie, le soulèvement de l'Allemagne et la victoire de Wellington à Vittoria exaltent l'Autriche.

Le Tchèque Mælzel, qui vient d'inventer – après le métronome – le « Panharmonica », sorte de monstrueuse boîte à musique symphonique, persuade Beethoven de composer pour sa machine une symphonie en l'honneur de l'Angleterre. C'est la préparation idéale à un voyage à Londres, vieux rêve de Beethoven. *La Bataille de Vittoria – cette stupidité*, dira l'auteur lui-même – est exécutée par l'orchestre deux fois en décembre 1813, puis en janvier et février 1814. L'enthousiasme musico-patriotique des Viennois est à son comble. L'année 1814, au cours de laquelle Beethoven salue les succès alliés de quelques chants et hymnes de victoire, voit la

Le Congrès de Vienne, par Isabey.

reprise triomphale de *Fidelio*. Quand le Congrès de Vienne s'ouvre en novembre 1814, Beethoven apparaît comme l'artiste original et puissant dans lequel se reconnaît l'Allemagne. Il est présenté au palais impérial – il racontera plus tard, non sans fierté, que les têtes couronnées lui ont fait la cour – et c'est devant une assemblée d'empereurs et de rois qu'il donne son dernier concert comme pianiste, le 25 janvier 1815.

Euphorie sans lendemain. Les désillusions ne tardent pas à se faire jour : l'Allemagne, l'Europe de la Sainte Alliance, dominées par la réaction politique et religieuse ne sont pas celles de Beethoven qui reste fidèle à son idéal républicain. Quant à la musique, bientôt Vienne n'aura d'applaudissements que pour Rossini dont la mélodie heureuse va tout submerger. On a peut-être consacré Beethoven célébrité nationale, mais c'est, dirait-on, pour pouvoir abandonner dans la gloire ce génie encombrant. D'autant qu'il n'écrit plus – et ses grandes œuvres ne sont même plus jouées.

Les départs, les brouilles ont fait le vide autour de Beethoven déjà isolé par sa surdité maintenant totale. Autour de lui apparaissent des visages nouveaux, gens souvent plus jeunes que lui, compagnons de café, de discussions politiques, amis d'utilité, et parmi eux Schindler, esprit et musicien médiocre, maladroit mais dévoué, qui au cours des années deviendra indispensable. Il ne connaît plus ces amitiés de cœur qui ont éclairé ses années de jeunesse. Depuis la catastrophe mystérieuse de l'automne 1812, c'est sous forme de regrets, de renoncement, de nostalgie que le bonheur et l'amour sont évoqués dans ses carnets. Toute l'année 1816 – celle des *Lieder à la bien-aimée lointaine* – est hantée d'un souvenir douloureux. *Nous, êtres limités à l'esprit illimité*, écrit-il à la comtesse von Erdödy, *nous sommes nés seulement pour la souffrance et pour la joie, et on pourrait presque dire que les plus éminents s'emparent de la joie à travers la souffrance.*

C'est vers un approfondissement et une élévation de sa vie morale que convergent les lectures, les notes des carnets intimes de Beethoven : *Tout ce qu'on appelle la vie, que ce soit sacrifié au Sublime et constitue un sanctuaire de l'Art ! Que je vive, même si c'est seulement par des moyens de hasard, si seulement il s'en trouve !* A cette philosophie de dépassement de soi se mêlent plus fréquemment, et de façon plus profondément sentie que par le passé, des invocations à Dieu, au *Tout-Puissant*, au *Très-Haut*. C'est une religion toute personnelle – Beethoven était indifférent à toute Église et à tout dogme – assez proche de celle du vicaire savoyard, qui se nourrit aussi bien de fragments des philosophes antiques que de méditations hindoues, ou des inscriptions du temple d'Isis à Saïs qu'il place sur son bureau. « Élevé dans la religion catholique, et sans l'avoir jamais répudiée, il n'en gardait plus que cette sorte de déisme humanitaire et providentiel, familier au siècle de l'*Aufklärungsphilosophie*, inclinant à ce panthéisme esthétique dont Gœthe avait trouvé indirectement la source en Spinoza », écrit Chantavoine. Et selon Schindler : *La religion et la basse chiffrée sont choses arrêtées, sur lesquelles on ne discute point,* disait Beethoven...

1817 marque le fond de la défaite. A l'automne 1816, une maladie pulmonaire se déclare et durant des mois Beethoven reste cloîtré dans sa chambre, amer, découragé, aspirant à se réaliser dans une œuvre et n'écrivant pas. Isolé, il songe à aller rejoindre quelques *anciens amis qui lui soient demeurés fidèles* – Wegeler à Francfort, ou Maria von Erdödy qui vit en Italie. Il veut croire pour l'année suivante à un voyage à Londres où il apporterait deux nouvelles symphonies. *Mais*, écrit-il à Zmeskall, *si cette situation ne prend pas fin, je serai l'an prochain non pas à Londres, mais peut-être au tombeau.* Et, en septembre 1817 : *J'essaie, sans musique, d'approcher chaque jour plus près de la tombe.*

Pas plus que les précédentes, l'année 1818 n'épargnera Beethoven : aux ennuis domestiques et financiers qui deviennent la toile de fond de son existence, Karl ajoute de nouvelles angoisses. Pendant l'été à Mödling, sa mère intrigue pour le voir en cachette, et en décembre Karl s'enfuit de chez son oncle. Johanna van Beethoven, invoquant cette fugue, remet en cause la tutelle du compositeur devant les tribunaux et pousse Karl à témoigner d'une façon qui déchire le cœur de son oncle.

Pourtant Mödling marque la victoire définitive de Beethoven sur lui-même, sur le destin contraire, sur le silence accablé des dernières années. Beethoven retrouve son élan vital, ses forces d'homme en pleine maturité. Il a pu *sacrifier toutes les petitesses de la vie à son art... Nostalgie ou désir, délivrance ou accomplissement, la musique est là de nouveau. Je me promène ici avec un morceau de papier, à travers les monts, les gorges et les vallées, et je barbouille beaucoup de choses pour du pain et de l'argent ; car, dans ce tout-puissant et misérable pays des Phéaciens, j'en suis au point où, si je veux me réserver le temps nécessaire à une grande œuvre, je dois au préalable barbouiller suffisamment pour m'assurer de quoi durer jusqu'à la fin de l'œuvre.* Ne nous fions pas à ces termes dédaigneux ; c'est la grande *Sonate für das Hammerklavier* que Beethoven barbouille ainsi, le monumental *opus 106*, un des sommets de sa création.

Une plus vaste œuvre le sollicite bientôt. L'archiduc Rodolphe est nommé le 4 juin 1818 archevêque d'Olmütz, et Beethoven, qui songe depuis quelque temps à une œuvre symphonique avec chœurs, décide de composer à cette occasion une messe d'intronisation. Les premières esquisses du *Kyrie* apparaissent sur ses carnets. Dès lors, pendant plus de quatre ans, Beethoven va vivre et s'affronter avec cette œuvre gigantesque. Après les soucis de l'hiver qui interrompent son élan – mais c'était aussi chez lui comme un rythme vital – pendant l'été 1819 qu'il passe également à Mödling, il termine le *Kyrie*, compose le *Gloria*, ébauche le *Credo* dans un

La maison de Mödling où Beethoven composait la Missa solemnis

état d'exaltation dont Schindler nous a gardé le souvenir. « Dans la chambre voisine, toutes portes closes, nous entendions le maître chanter, hurler et rythmer la fugue de son *Credo*. Nous écoutâmes longtemps ces bruits presque effrayants et nous étions sur le point de partir quand la porte s'ouvrit, et Beethoven parut, furieux et farouche. Il avait l'air angoissé comme s'il sortait d'un combat à mort contre une légion de ses ennemis ordinaires, les contrepointistes. Ses premiers mots furent incohérents, comme si le fait que nous avions écouté l'avait désagréablement surpris. »

Les années suivantes apportent un certain apaisement. A Vienne, à Mödling surtout, puis à Döbling, Beethoven construit pièce à pièce ce qu'il considérait comme *sa meilleure œuvre, son plus grand ouvrage.* Enfin il a retrouvé *tout l'orchestre* avec une telle ivresse que, la *Messe solennelle* à peine terminée, il songe à écrire une troisième messe (en ut dièse mineur) et déjà apparaissent les esquisses de la *Neuvième Symphonie.* Parallèlement à cette gigantesque entreprise, chaque année voit paraître un des grands chefs-d'œuvre de piano : l'*op. 109* en 1820, l'*op. 110* en 1821, l'*op. 111* en 1822 et, en 1823 les *Trente-trois variations Diabelli op. 120.*

La vie devient alors pour « cet artiste puissamment concentré », comme disait Gœthe, une vie d'intensité tout intérieur. De plus en plus lointain en lui-même, il ne communique avec le monde extérieur que par les *Cahiers de conversation,* documents inestimables malgré les destructions et les coupures que Schindler y a pratiquées et qui nous restituent – à travers ce que les interlocuteurs de Beethoven y inscrivent – les incidents et les préoccupations de sa vie quotidienne. Son insouciance du public, du monde extérieur devient de l'indifférence. Il ne se conçoit pas cependant comme solitaire : à travers ses mondes intérieurs, à travers sa musique il poursuit un dialogue, plus vrai que le dialogue apparent que nous retracent les *Cahiers,* avec un monde d'avenir ; il formule le langage, les aspirations, les jugements même d'hommes de demain.

C'est le journaliste et écrivain Rochlitz qui nous a laissé l'évocation la plus vivante du Beethoven de cette époque, de son aspect physique, de ses discussions politiques dans les cafés, au milieu d'un groupe d'amis libéraux qui suivent avec une amertume satirique la vie politique d'Autriche et d'Europe. « Si je n'y avais pas été préparé, sa vue m'aurait troublé aussi. Non par la chevelure noire, épaisse, hirsute qui entoure sa tête, non par son extérieur négligé, presque sauvage, mais par l'ensemble de son aspect... Des yeux inquiets, brillants, presque perçants quand ils regardent fixement ; pas de mouvements, sinon brusques ; dans l'expression du visage, de l'œil surtout, plein de vie et d'intelligence, un mélange ou une alternance perpétuelle de bonhomie très cordiale et de crainte ; dans toute son attitude, cette tension, cette inquiétude aux écoutes des sourds qui ont une sensibilité très vive ; jetant un mot gai et sans contrainte, puis retombant tout de suite après dans un mutisme farouche ; et avec cela, ce qui dit avec persistance au cœur de l'observateur : Voilà l'homme qui donne la joie à des millions d'hommes, rien que la joie, pure, spirituelle !...

« Ce n'était pas à proprement parler une conversation qu'il poursuivait, mais un monologue et généralement d'une manière continue ou presque, comme au hasard, au petit bonheur. Ceux qui l'entouraient parlaient peu, se contentaient de rire ou d'approuver de la tête. Il parlait philosophie et politique à sa façon. Il parlait de l'Angleterre et des Anglais tels qu'il se les imaginait, c'est-à-dire d'une incomparable grandeur, ce qui paraissait assez étonnant. Puis il racontait mainte anecdote sur les Français, du temps des deux sièges de Vienne ; il avait une dent contre eux. Il disait tout cela avec la plus grande tranquillité, sans la moindre réserve – le tout assaisonné d'opinions primesautières de la plus grande originalité, ou d'idées burlesques. Il me faisait l'effet d'un homme possédant un esprit riche, avancé, une imagination illimitée, jamais en repos – d'un homme qui, enfant précoce et extrêmement intelligent, aurait été abandonné sur une île déserte avec tout ce que jusque-là l'expérience lui aurait enseigné, tout ce qui jusqu'à cet âge serait parvenu à sa connaissance, puis qui aurait réfléchi et ruminé tout cela, jusqu'à ce qu'il ait opéré la synthèse de ces éléments, et fait, avec ses imaginations, des convictions qu'il proclamait maintenant à travers le monde, en toute confiance... Il était lancé et parlait vertement, il ne s'arrêtait plus. Il en vint à lui : *Vous n'entendrez rien de moi ici.* – Maintenant, en été ! écrivis-je. – *Non*, cria-t-il, *en hiver aussi. Que voudriez-vous entendre ? Fidelio ? Ils ne peuvent le donner ni ne veulent l'entendre. Les symphonies ? Ils n'en ont pas le temps. Les concertos ? Chacun se contente de tapoter ce qu'il a fait lui-même. Les choses en solo ? Il y a longtemps qu'elles ne sont plus à la mode et la mode fait tout. Tout au plus Schuppanzigh exhume parfois un quatuor...* »

En 1823, Beethoven, poussé par ses amis et surtout par Moritz von Lichnowsky, fait une nouvelle tentative pour s'assurer, en même temps qu'une « position honorable », la sécurité matérielle. Sa situation est en effet toujours aussi précaire et il considère comme intangible le capital (sept actions de banque) qu'il a pu constituer à la suite de ses succès de 1815 et qu'il destine à Karl. Tayber, Kapellmeister de la cour, étant mort, il brigue sa succession. Sans résultat : la politique d'austérité et d'économie qui règne en ces années à la cour est invoquée et le poste est laissé vacant. Lichnowsky pousse alors Beethoven à écrire une messe pour l'empereur ; mais Beethoven se rebiffe devant les exigences religieuses et surtout musicales qu'imposent les goûts du monarque. Il se dérobe de la même façon aux exhortations de ses amis qui, après la brillante reprise de *Fidelio*, le poussent à écrire un nouvel opéra.

C'est par une grande édition de sa *Missa Solemnis* qu'il a envoyée à l'archiduc Rodolphe le 19 mars 1823 (trois ans après l'intronisation!) que Beethoven espère s'imposer de nouveau à l'Europe musicale livrée à la vogue rossinienne. Il cherche à obtenir des souscriptions de tous les princes d'Europe, relance ses amis étrangers, écrit à Gœthe, à Cherubini – qui ne répondent même pas. Le tsar, le roi de Prusse, Louis XVIII souscrivent, mais aucun prince de la cour d'Autriche ne fait le moindre geste, et financièrement l'entreprise est un échec.

A ce moment, Beethoven termine les trois premiers mouvements de la *Neuvième Symphonie* pour laquelle il projette un finale instrumental. C'est à une *Dixième Symphonie* qu'il destine alors l'*Hymne à la Joie* dont le thème, après une longue approximation, est tracé en l'été 1822. Déjà en 1792, le jeune Beethoven songeait à incarner musicalement le poème de jeunesse de Schiller. Au cours des années, parmi les esquisses de tant de grandes œuvres se glisse parfois un vers de l'« Ode » mis en musique. Cette lente et presque inconsciente maturation témoigne des liens étroits qui lient Beethoven à ce texte, un des rares de Schiller qu'il ait mis en œuvre. *Le musicien*, dit-il à Czerny, *doit savoir s'élever loin au-dessus du poète – et qui le peut avec Schiller ? Gœthe est bien plus facile !* Dans ce très long poème, Beethoven a choisi les strophes les plus grandioses, les plus sacrées. La joie, « belle étincelle des dieux », est celle de l'amitié, de l'amour, celle de la fraternité universelle, celle de la foi. Beethoven s'est si bien approprié le poème, il en a si bien choisi, coupé, interverti, enchaîné les vers que l'on a pu dire qu'il ne s'agit plus d'un poème de Schiller, mais d'un poème de Beethoven.

Beethoven qui se qualifie alors de *malheureux heureux homme* s'absorbe entièrement dans la composition de l'*Hymne à la Joie* qu'il destine maintenant à couronner la *Neuvième Symphonie* et qu'il achève au début de 1824, épuisé et malade. La fin de l'hiver et le printemps 1824 sont accaparés par les difficiles préparatifs d'une exécution d'une telle ampleur. La Société des amis de la musique, sollicitée, refuse de l'assumer, et Beethoven, seul avec Schuppanzigh, Moritz von Lichnowsky, Schindler, doit faire face à mille problèmes matériels.

Les *Cahiers de conversation* nous font assister à la préparation orageuse du concert. Beethoven auquel l'aide de ses amis porte soudain ombrage déclare un beau jour que le concert n'a plus lieu ; il se ravise, rabroue Schindler que depuis un certain temps il prend en grippe. Enfin, le 7 mai, tout est prêt et Schindler emporte au théâtre du Kärtnertor l'habit vert – il n'en a pas de noir – que Beethoven doit mettre pour diriger. En fait Beethoven se tient simplement à côté du chef Umlauf et feuillette la partition, face à l'orchestre qu'il n'entend pas. La salle est comble. Quand l'ovation délirante du public éclate et se prolonge après le dernier accord de l'*Hymne à la Joie*, Beethoven n'entend toujours rien. Il faut que la chanteuse Karoline Unger le prenne aux épaules et lui montre la salle...

Il faut, avant que je ne passe aux Champs Élyséens, que je laisse après moi ce que l'esprit m'inspire et m'ordonne d'achever. Il me semble que j'ai à peine écrit quelques notes. Beethoven n'a pas cinquante-quatre ans. Il est à l'apogée de sa vie créatrice – mais ce n'est pas un terme. Ses projets sont là, précis : une *Dixième Symphonie*, un *Faust*, un *Requiem*, des *Quatuors*. Tout en lui traduit la vigueur, la vitalité, même si sa santé n'est pas sans à-coups. Les témoignages des visiteurs nous montrent Beethoven toujours aussi prêt à rendre raison à ses amis un verre à la main, à les éreinter dans une promenade rapide dans les « sentiers de chamois » de Baden, toujours aussi virulent dans ses invectives contre le goût viennois, contre le régime politique ou les leçons à l'archiduc Rodolphe. « Ah! si j'avais la millième partie de votre force et de votre caractère » soupire le poète Grillparzer âgé alors de trente-cinq ans. Holz, le nouveau « famulus », deuxième violon du quatuor Schuppanzigh, apporte à Beethoven une présence quotidienne pleine de gaieté ; Karl est maintenant un beau jeune homme *qui sait le grec* et sert parfois de secrétaire à son oncle. Il doit entrer à l'Institut polytechnique de Vienne et Beethoven en est fier.

A Vienne l'hiver, à Penzing ou Baden l'été, Beethoven écrit : il écrit les derniers Quatuors. C'est en novembre 1822 que trois quatuors lui avaient été commandés par le prince russe Galitzine, si passionné de sa musique que, violoniste, il transcrivait ses sonates en quatuors pour pouvoir les jouer. Dans les années qui suivent Galitzine, impatient, écrit lettre sur lettre pour réclamer ses quatuors. Il souscrit à la *Messe*, en organise à Saint-Pétersbourg la première exécution publique, le 6 avril 1824. C'est en 1825 seulement qu'il reçoit le *Douzième Quatuor op. 127*, joué à Vienne sans grand succès. Après une brève et grave maladie, au cours de sa convalescence à Baden, Beethoven compose pendant l'été 1825 le troisième mouvement du *Quinzième Quatuor* (deuxième de la série), *Chant sacré de reconnaissance d'un convalescent à la divinité, dans le mode lydien*. En même temps il écrit la *Cavatine* du *Treizième ;* en octobre les deux Quatuors seront achevés.

Au retour de Vienne le 15 octobre, Beethoven déménage pour la dernière fois : pour être plus près du lieu d'études de son neveu, il s'installe à la Schwarzspanierstrasse, en dehors des remparts. C'est dans cette maison, aujourd'hui détruite, qu'il mourra. Là, il est le proche voisin de Stephan von Breuning avec lequel reprennent, après une brouille de dix ans, les relations d'amitié confiante d'antan. Il se prend d'affection pour le petit Gerhard von Breuning âgé de dix ans, qu'il surnomme *Ariel* et *Bouton de culotte* et en qui il aime cette limpidité de l'enfance qu'il avait vainement cherchée chez Karl. L'hiver qui suit est laborieux malgré de vives douleurs d'yeux. Beethoven finit le *Treizième Quatuor*, le dernier composé des Quatuors Galitzine. Mais sur cette lancée de l'inspiration il déclare à Holz : *Mon bon, il m'est encore tombé dans l'esprit quelques idées dont je veux tirer parti...* – c'est le grandiose *Quatorzième Quatuor* qu'il compose, dans un travail acharné, en quelques mois. Les Quatuors sont joués avec un succès inégal : peu lui importe. *Ça leur plaira bien un jour*, dit-il au petit Gerhard. Et à Holz encore : *Quant à l'imagination, Dieu merci, nous en manquons moins que jamais.* Car déjà il écrit, très vite, le *Seizième Quatuor...*

Beethoven décide de rester à Vienne pendant l'été pour encourager Karl qui doit passer des examens. Déjà l'été précédent avait été assombri par les écarts de conduite de son neveu. Karl a dix-huit ans, ses études sont médiocres, il aime « s'amuser », mais surtout, surtout il continue à voir sa mère. Une tornade d'objurgations incohérentes s'abat sur lui. Nous retrouvons l'emportement forcené de Beethoven, ses accusations fulminantes, ses ruptures définitives, ses retours d'affection passionnés. La surveillance soupçonneuse de Beethoven en cet été 1826 est l'occasion de nouvelles scènes : Karl regimbe, Beethoven maudit et supplie alternativement. De plus Karl a fait des dettes. Sans cesse surveillé, pris en faute, séparé de sa mère, ayant pris son oncle en aversion, il ne voit pas d'issue. Dans la nuit du samedi 29 juillet (ou du 5 août), il monte aux ruines de Rauhenstein, à Baden, et se tire une balle dans la tempe.

C'est chez sa mère où il s'est fait porter, peu blessé, que Beethoven le retrouve, hostile et muet. A ses proches il déclare « qu'il voulait seulement en finir avec les reproches de son oncle » et, même : « Je suis devenu pire parce que mon oncle voulait me rendre meilleur. » « La douleur que cet événement causa à Beethoven était indescriptible, raconte Gerhard von Breuning, il était abattu comme un père qui a perdu le fils le plus aimé. » Dans l'amertume de ce reniement s'effondrent tous les espoirs passionnés de Beethoven, toute la joie des sacrifices qu'il a faits, des soins qu'il a pris. Ses amis l'engagent à déposer la tutelle et il y consent enfin.

Malgré ce terrible ébranlement, Beethoven a terminé, fin août, trois mouvements du *Seizième Quatuor*. En septembre, il compose le *Lento – doux chant de repos, chant de paix*, retour à la sérénité après la crise. Karl revient pour quelques jours auprès de son oncle et ensemble ils vont passer le début de l'automne dans la propriété que Johann van Beethoven possède à Gneixendorf, près de Krems. Tout d'abord, malgré les profonds désaccords qui séparent ces êtres si différents, chacun fait effort pour éviter les heurts. *L'air est sain*, constate objectivement Beethoven qui se perd en de longues promenades, écrit le *Finale du Quatuor op. 130*, destiné à remplacer la *Grande Fugue*. Mais bientôt le ton s'aigrit, des scènes éclatent. Beethoven ne sort plus de sa chambre. Quand Johann, lassé à son tour par la conduite de Karl, demande à son frère de songer à leur retour, Beethoven, outré, a cette réaction de départ foudroyant qui lui est familière. Il part sur-le-champ avec Karl, par mauvais temps, dans la carriole découverte d'un laitier. Après une nuit glaciale dans une mauvaise auberge, Beethoven arrive le 2 décembre au soir à Vienne et se met au lit. Il a une double pneumonie.

Un médecin est appelé, avec un certain retard, mais son intervention semble efficace et, le 9, Beethoven se sent déjà mieux. Cependant le 10 « je le trouvai bouleversé, raconte le médecin, Wawruch, la jaunisse sur tout le corps ; une effroyable cholérine avait failli l'emporter dans la nuit. Une violente colère, une profonde souffrance, causées par un acte d'ingratitude à son égard et par une offense imméritée, avaient provoqué cette puissante explosion. Tremblant et frémissant, il se tordait dans des douleurs qui lui rongeaient le foie et les intestins ». Que s'est-il passé – y eut-il une scène plus violente que jamais avec Karl ? Quoi qu'il en soit, la maladie désormais progresse et, après de longs mois de lutte d'un organisme dont la force de résistance est encore énorme, vaincra. La cirrhose empire, l'hydropisie aussi, et on sera obligé de faire à Beethoven trois ponctions. Très vite son état est désespéré.

Beethoven est en train de mourir, au milieu de l'indifférence de Vienne et de l'oubli des grands. Après le départ de Karl pour l'armée, le 2 janvier 1827, nous ne voyons guère auprès de son lit que quelques fidèles : Stephan von Breuning, le petit Gerhard qui le distrait avec son bavardage, Schuppanzigh, Moritz von Lichnowsky, Gleichenstein, l'éditeur Haslinger, le baron Pasqualati, Hummel qui vient de Weimar. Zmeskall, paralysé, s'est fait transporter dans un appartement voisin et échange avec Beethoven, comme par le passé, des petits billets. Schindler réapparaît, importun et indispensable, préparant la carrière abusive qu'il fera bientôt comme « ami de Beethoven » (titre qu'il inscrivit plus tard sur ses cartes de visite).

Bientôt, à l'impatience de la maladie, à la douleur de l'interruption de tout travail, s'ajoute pour Beethoven qui se refuse toujours à entamer le capital destiné à Karl, l'angoisse du besoin. Le 22 février, après trois mois d'une maladie dont il n'envisage pas la fin, il écrit à son élève Moschelès, maintenant installé à Londres, pour lui demander de rappeler à la Société philharmonique l'offre que celle-ci lui avait faite naguère d'organiser un concert à son bénéfice. Aussitôt Moschelès et les amis que Beethoven possède à Londres, sans attendre l'organisation d'un concert, réunissent cent livres sterling et les adressent à Vienne. Le 15 ou le 16, Rau, intendant de la banque, court chez lui pour lui annoncer l'aide arrivée. « Cela déchirait le cœur de le voir joindre les mains et fondre en larmes de joie et de remerciement. Il est plus semblable à un squelette qu'à un vivant. » Chagrins et soucis disparaissent d'un coup. Beethoven est *touché au plus profond de lui-même*. *Dites à ces dignes hommes*, écrit-il à Moscheles, *que quand Dieu m'aura rendu la santé, je m'efforcerai de réaliser par des œuvres mes sentiments de reconnaissance, et que je m'en remets au choix de la Société pour composer ce qu'elle voudra. Toute une symphonie esquissée est dans mon pupitre, ainsi qu'une nouvelle ouverture (sur le nom de Bach) et aussi autre chose…*

« Une rencontre intéressante » — *aquarelle de Kuppelwieser*
(Beethoven à l'extrême-gauche, Schubert baisse la tête)

Dès que Beethoven se sent plus fort, il veut travailler. Il discute
avec Schindler de ses œuvres passées, parle de l'édition complète
qu'il projette d'en faire depuis des années, étudie les œuvres de
Hændel que le facteur de harpes londonien Stumpff lui a envoyées
dans la monumentale édition d'Arnold, demande les symphonies
de Schubert. « Vivre, il voulait vivre, car il avait encore trop à créer,
que nul autre que lui n'avait la force de réaliser. – Son imagination,
surexcitée comme elle le fut rarement aux temps de sa meilleure santé,
était emportée à travers les espaces, rêvait de voyages, faisait les
plans d'énormes œuvres... » (Schindler.)

Mais, après une brève rémission les 18-19 mars, l'état de Beethoven
empire rapidement. Ses amis lui font prendre ses dernières dispositions, appellent un prêtre. « Il sent sa fin approcher, car hier (le 23),
il nous a dit, à Breuning et à moi-même : *Plaudite, amici, comœdia
finita est*. Les derniers jours ont été de nouveau tout à fait remarquables ; c'est avec une sagesse socratique et une parfaite sérénité
d'âme qu'il va au-devant de la mort... » Le 24, « vers la soirée, il perdit
conscience et commença à délirer... Cette agonie était terrible à
voir, car sa nature et surtout sa poitrine étaient d'une vigueur extraordinaire. » (Schindler.) Le 26 dans l'après-midi, Anselm Hutten-
brenner reste seul dans la chambre : « Beethoven gisait sans connaissance, dans les derniers râles de l'agonie. Vers cinq heures, un

violent coup de tonnerre retentit. En même temps, un éclair illuminait la chambre (devant la maison, le sol était couvert de neige). A ce phénomène si extraordinaire, qui m'impressionna vivement moi-même, Beethoven ouvrit les yeux tout grands ; il souleva sa main droite ; et, le poing crispé, l'air farouche et menaçant, il fixa pendant quelques secondes son regard en haut... Quand sa main retomba sur le lit, ses yeux étaient à demi voilés. Ma main droite soulevait sa tête, ma main gauche s'appuyait sur sa poitrine. Aucun souffle ne sortait plus de ses lèvres, le cœur avait cessé de battre. »

Ce coup de tonnerre réveille Vienne. C'est avec la pompe réservée aux héros, à ceux qui sont l'âme d'un peuple, que vingt mille personnes accompagnent la dépouille de Beethoven au cimetière de Währing. Parmi les musiciens qui entourent le char, Schubert tient un flambeau. Pour lui, pour ceux qui créent l'avenir, il ne s'agit pas d'une mort, d'un mort. Il ne s'agit pas d'une page de l'histoire déjà tournée. L'œuvre de Beethoven commence son cycle de métamorphoses dans les époques et les esprits, sans cesse renaissante, inépuisablement contemporaine.

L'enterrement de Beethoven
(Lithographie de Slöber)

Ici Beethoven et Schubert furent ensevelis
(Cimetière de Währing)

Discographie

ÉTABLIE ET COMMENTÉE PAR MARC VIGNAL

Esquisser en quelques pages une discographie d'un compositeur ayant fait l'objet de plusieurs centaines d'enregistrements semble relever de la gageure. En réalité, de cette abondance, de claires lignes de force se dégagent, et il faut ajouter que la plupart des « grandes » versions (y compris celles dites « historiques ») des œuvres de Beethoven ayant été (ou étant sur le point d'être) rééditées en disques compacts (CD), sa discographie a depuis dix ou quinze ans subi moins de bouleversements qu'on ne pourrait l'imaginer. Certaines versions légendaires ont quand même disparu, provisoirement sans doute (les quatuors à cordes par les Amadeus, par exemple). Mais, en revanche, on dispose aujourd'hui de davantage de versions des symphonies par Toscanini que jamais auparavant. Les enregistrements mentionnés ci-dessous sont tous disponibles en compact (CD), sauf indication contraire (disque « noir », disque « microsillon »). La présente discographie a été arrêtée en septembre 1987, mais mentionne quelques enregistrements annoncés à cette date comme devant paraître incessamment.

PIANO SEUL

Pour l'**intégrale des sonates**, on se tournera en priorité soit vers Wilhelm Backhaus (10 d. Decca, avec les *Variations Diabelli*), soit vers Alfred Brendel (11 d. Philips, avec l'*Andante favori*). L'intégrale de Wilhelm Backhaus, la plus rapide et la plus sévère de toutes, est aussi la plus homogène, et sans doute la plus parfaite. Le son est massif, ample, sans concessions (tout comme l'interprétation), et la réédition en CD (importation japonaise) de ce monument est un véritable événement. La seconde intégrale de Brendel est assez différente de la première (Vox-Turnabout) : versions analytiques, supérieurement articulées, dans la lignée de celles d'Edwin Fischer, le maître de Brendel. L'intégrale d'Yves Nat est toujours officiellement disponible (11 d. microsillon EMI, avec les *Variations en ut mineur*) : approche dramatique, approche de visionnaire, malheureusement desservie par une prise de son contestable. Quatre sonates par Nat viennent de ressortir en CD. La série historique de Schnabel (EMI) est pour le moment difficilement accessible.

Au moment de sa mort (1985), Emil Guilels avait en cours chez DG une intégrale des sonates dont il put achever un peu plus de la moitié. D'où neuf disques isolés : jeu impétueux et dense pour les vastes sonates de jeunesse nos 2 et 4, extraordinaire discipline pour les nos 5, 10, 19 et 20, accents grandioses pour les *Variations Eroica* et les sonates nos 7 et 18, tempos amples et profondeur expressive pour la 29e (*Hammerklavier*), plénitude et pureté exceptionnelles pour les 30e et 31e. Les quatre autres disques, non moins remarquables, sont consacrés respectivement aux sonates nos 11 et WoO 47, nos 15 et 17, nos 21 (*Waldstein*), 26 (*Adieux*) et 23 (*Appassionata*), et nos 8 (*Pathétique*), 13 et 14 (*Clair de lune*). Du très grand piano.

Paul Badura-Skoda, spécialiste des instruments d'époque, a gravé chez Astrée-Auvidis les sonates nos 18, 25 et 26 sur un pianoforte viennois de 1815, les sonates nos 23, 19, 20 et 22 sur un pianoforte londonien de 1815 également, et les sonates nos 28 et 29 sur un pianoforte viennois de 1824. Deux autres disques de lui, eux aussi sur instrument d'époque, existent chez le même éditeur, l'un avec les trois dernières sonates (nos 30, 31 et 32), l'autre avec les 21e, 24e et 27e. Les couleurs nettes de chaque note, la différenciation des timbres projettent sur les œuvres une singulière lueur.

Dans les sonates nos 8, 14 et 15 (*Pastorale*), Wilhelm Kempff (DG économique) allie l'élan rhapsodique à la plus rigoureuse architecture. Pour le couplage classique des sonates nos 8, 14 et 23, on se tournera en tout premier lieu vers Rudolf Serkin (CBS économique), qui offre une des deux ou trois plus grandes versions jamais réalisées de l'*Appassionata*, de préférence à Brendel (Philips). Chez Auvidis-Hunt, on peut trouver deux disques reprenant des gravures d'Edwin Fischer de 1948-1954, l'un les sonates nos 7, 15 et 32, l'autre les sonates nos 8, 21 et 30. Un enregistrement *live* de Brendel des sonates nos 24 et 29 (Philips) confirme que ce pianiste est encore plus remarquable en concert qu'en studio. À ne pas manquer non plus les sonates nos 21 et 30 par Claudio Arrau (Philips), la 21e étant sans doute le sommet absolu de son intégrale jadis disponible en microsillon.

Pour le groupe des cinq dernières sonates, on écoutera Vladimir Ashkenazy (2 d. Decca), Maurizio Pollini (2 d. DG), Solomon Cutner (2 d. microsillon EMI). Tirés d'une intégrale jadis parue en douze microsillons, les deux CD d'Ashkenazy témoignent d'une étonnante maîtrise technique, mais aussi d'une vision un peu trop rassurante, le sommet étant incontestablement la *Hammerklavier* (disponible séparément en microsillon). Pollini offre dans l'ensemble un équilibre souverain entre clarté polyphonique et élan émotionnel, la *Hammerklavier* étant sans doute l'enregistrement le plus puissant jamais signé par lui. Datant de 1950-1956, les enregistrements de Solomon (Solomon Cutner), sobres et rayonnants, rappellent quel grand artiste fut ce dernier avant l'interruption de sa carrière par un incident de santé (il avait alors gravé dix-huit sonates sur trente-deux).

Les *Variations Diabelli* par Backhaus sont jointes à son intégrale des sonates (Decca). Pour une version isolée, on pourra choisir entre Arrau (Philips), Brendel (Philips) et Serkin (CBS microsillon). La version d'Arrau, visionnaire, tournée vers l'intérieur, est très récente (1985), celle de Brendel, réédition d'un microsillon des années 1970, n'a rien perdu de sa force, même si on continue à lui préférer celle gravée auparavant par ce pianiste pour Vox. Serkin, lui, analyse et questionne à chaque instant, par pulsions magnifiques. Georges Pludermacher vient de graver un disque magnifique regroupant les *Diabelli* et la 32e sonate opus 111 (Lyrinx). Les trois séries de variations opus 35 (*Eroica*), WoO 77 (*sol majeur*) et WoO 80 (*ut mineur*) par Bruno Leonardo Gelber (Orfeo microsillon) sont d'une extraordinaire beauté plastique, et l'on se penchera également, tout en regrettant la disparition de la version Brendel (Vox), sur l'intégrale des bagatelles par Rudolf Buchbinder (Teldec). Gregor Weichert vient d'enregistrer une intéressante rareté : la version originale pour piano seul des dix thèmes variés opus 107 sur des mélodies populaires de divers pays (Accord).

MUSIQUE DE CHAMBRE
(SAUF QUATUORS À CORDES)

Pour les **10 sonates pour violon et piano**, quatre intégrales sont à départager : celles de Perlman-Ashkenazy (4 d. isolés Decca, avec respectivement les sonates nos 1-3, nos 4, 6 et 8, nos 5 (*Printemps*) et 9 (*Kreutzer*), et nos 7 et 10 ; de Menuhin-Kempff (4 d. DG) ; d'Oïstrakh-Oborine (4 d. Philips) ; et de Stern-Istomin (2 fois 2 d. CBS, avec d'une part les nos 1-4 et 9, et d'autre part les nos 5-8 et 10). Perlman et Ashkenazy donnent un éclairage particulièrement heureux aux premières sonates, Menuhin et Kempff ont de l'ensemble une conception très analytique mais énergique, Oïstrakh et Oborine (ce dernier, qui fut le maître d'Askhenazy, bien meilleur qu'on ne l'a prétendu) évoluent dans un esprit très classique. Malgré de beaux moments, Stern-Istomin déçoivent quelque peu. On espère, bien sûr, une réédition en CD de l'intégrale Grumiaux-Haskil. Remarquables sont les sonates nos 1 à 3 par Gidon Kremer et Martha Argerich (DG), et les sonates nos 5 et 9 par Zino Francescatti et Robert Casadesus (CBS microsillon).

En ce qui concerne les **5 sonates pour violoncelle et piano**, la version de Mstislav Rostropovitch et de Sviatoslav Richter (2 d. Philips), enregistrée en 1963, reste « de référence ». L'intégrale de Pablo Casals et de Rudolf Serkin, qui comprend également les trois séries de variations pour la même combinaison instrumentale (coffret économique 3 d. CBS microsillon), s'impose par son lyrisme et son humanité, et les trois sonates de maturité sont des modèles. Parmi les jeunes interprètes, il ne faut oublier ni Miklos Perenyi et Deszö Ranki (2 d. Hungaroton), sans les trois séries de variations que l'on trouvait dans l'édition en microsillons, mais avec en prime la transcription par Beethoven lui-même de la sonate pour cor opus 17, ni Christophe Coin et Patrick Cohen qui ont en cours une belle intégrale sur instruments d'époque (Harmonia Mundi).

Les **7 trios pour piano**, violon et violoncelle (sans les pages de jeunesse ou isolées ni les variations pour la même formation) par Wilhelm Kempff, Henryk Szering et Pierre Fournier viennent d'être réédités en CD (3 d. DG), et l'on s'aperçoit que cette intégrale jadis traitée avec quelque condescendance a fort bien vieilli (refus de la redondance, clarté de la construction, précision rythmique). Les deux intégrales du Beaux Arts Trio (Philips) ont disparu. Moins spectaculaire mais infiniment séduisante apparaît l'intégrale en cours du trio Haydn de Vienne, dont trois disques isolés sont déjà disponibles (Teldec), avec respectivement les opus 1 n⁰ˢ 1 et 2, l'opus 1 n° 3 et l'opus 11, et les opus 70 n° 1 (*Fantôme*) et 2. Manquent encore l'*Archiduc* (opus 97) et les pages dites «mineures». Sur instruments anciens, il faut entendre les opus 1 n⁰ˢ 1 et 2 par le London Fortepiano Trio (Harmonia Mundi). Pour l'*Archiduc* isolé, trois versions s'imposent, celles de Jacques Thibaud, Alfred Cortot et Pablo Casals (EMI, miraculeusement rééditée en CD avec du Schubert), celle d'Eugène Istomin, Isaac Stern et Leonard Rose (CBS microsillon, avec les *Variations opus 44*), et celle du trio Suk composé de Josef Hala, Josef Suk et Josef Chuchro (Supraphon, avec le quintette *la Truite* de Schubert). Le disque Thibaud-Cortot-Casals est légendaire, celui d'Istomin, de Stern et de Rose tient le haut du pavé depuis trente ans, celui du trio Suk, à la programmation fort généreuse, est peut-être encore plus homogène et apparaît comme de la musique de chambre au sens le plus haut et le plus noble.

Pour **trio à cordes**, Beethoven écrivit (avant 1798) deux ouvrages en forme de sérénade (opus 3 et 8) et les trois trios opus 9. Les intégrales jadis disponibles, en particulier celles du trio Grumiaux (Philips) et du trio Italiano d'Archi (DG) sont — pour le moment ? — supprimées. Un jeune ensemble britannique, le Cummings String Trio, en a entrepris une, en deux disques (Unicorn-Kanchana) dont le premier paru, avec l'opus 9 dans son entier, est une incontestable réussite.

C'est également le Cummings String Trio, accompagné du pianiste Anthony Goldstone, qui a gravé les **trois quatuors avec piano** WoO 36 de 1785 (Beethoven était dans sa quinzième année) : pages directement inspirées de trois sonates piano-violon de Mozart mais témoignant de la volonté de Beethoven de s'affirmer, et présentées ici dans les meilleures conditions (Meridian).

Beethoven conçut son **quintette pour piano et vents** opus 16 pour la même formation que celui de Mozart (K. 452) et le modela assez étroitement sur lui, ce qui fait que les deux œuvres sont presque toujours sur le même disque. C'est le cas pour les quatre versions ci-dessous : Walter Gieseking et le Philharmonia Wind Quartet (EMI microsillon), Murray Perahia et membres de l'Orchestre de chambre anglais (CBS), Radu Lupu accompagné par Hans de Vries au hautbois, George Pierson à la clarinette, Vincente Zarto au cor et Brian Pollard au basson (Decca), et Jos van Immerseel (pianoforte) avec l'ensemble Octophoros (Accent) : les deux premières nommées sont un peu froides, et l'on se tournera vers les deux autres, en choisissant entre le piano moderne de Lupu et le pianoforte d'époque d'Immerseel.

Pour le célèbre **septuor** opus 20, une des pages de Beethoven les plus célèbres de son vivant, pas d'hésitation : les membres du Nouvel Octuor de Vienne ont cette musique dans le sang (Decca, avec la version clarinette du trio opus 11).

Grâce aux Vents de l'Orchestre de chambre d'Europe, on peut prendre connaissance de ce que, marches exceptées, Beethoven écrivit dans sa jeunesse pour **vents seuls** : sextuor opus 71, quintette Hess 19, rondino WoO 25, octuor opus 103 (ASV distr. Schott).

QUATUORS À CORDES

Officiellement, cinq intégrales achevées remplacent aujourd'hui plus ou moins avantageusement celles qui dominaient le marché il y a quinze, vingt ou trente ans (Quatuor hongrois, Quatuor de Budapest, Vegh I, Juilliard I, Amadeus, Quartetto Italiano). Ces intégrales sont celles du quatuor Alban Berg (EMI), du quatuor Juilliard II (CBS), du quatuor Melos (DG), du quatuor Talich (Calliope) et la seconde du quatuor Vegh (Astrée-Auvidis). Elles existent en microsillons et en CD, et simultanément, pour la plupart d'entre elles, en disques isolés, en plusieurs coffrets et en un seul coffret. Les Talich présentent l'intégrale des quatuors en sept CD seulement contre huit pour les Vegh, neuf pour les Melos et dix pour les Berg et les Juilliard.

Les **Berg** ont trouvé dans l'opus 18 le ton juste, c'est là qu'ils sont le plus convaincants (cohésion, sonorités raffinées, énergie). Des quatuors nos 7 à 11, qu'ils avaient enregistrés deux ans plus tôt (1978), ils retiennent surtout le côté nerveux, et réussissent particulièrement les 9e et 11e. Dans les ultimes quatuors, enregistrés les derniers, ils ne pénètrent pas toujours au cœur de la musique, mais offrent en tout cas un magnifique 14e. Les **Juilliard** ont réalisé leur seconde intégrale en public en 1982-1983 : contrairement à celle des Berg, elle se maintient de bout en bout, et réussit une synthèse rare de qualités opposées (elle est à la fois fragile et explosive, violente et décantée, dramatique et transparente). Moins heurtés que les Berg au monde sonore desquels ils s'opposent totalement, les **Melos** privilégient quant à eux la structure des œuvres, leur plénitude « symphonique », ce qui ne les empêche pas d'accuser les contrastes de tempo. Ils triomphent surtout dans certains quatuors de la période médiane. Les **Talich** se montrent sobres, lisses, leur jeu est intérieur, souvent austère, fait à la fois de gravité et de douceur, sans dramatisme facile. Leur intégrale demande à l'auditeur un effort dont il est en définitive largement récompensé. Les **Vegh** personnalisent à l'extrême chacune des dix-sept partitions, manifestant un expressionnisme assez vigoureux et dégageant de façon abrupte la modernité de certaines pages. En ce qui concerne les intégrales, la partie se joue en dernière analyse entre les **Juilliard** et les **Vegh**, avec comme complément indispensable les six quatuors opus 18 par les **Berg**. Les Vegh comptent parmi les très rares qui actuellement font penser aux interprétations historiques et légendaires — et pour le moment pas toutes présentes aux catalogues français — les **Wiener Konzerthaus** (12e et 15e quatuors), des **Budapest** (13e), des **Vlach** (14e) ou des **Busch** (15e).

Des quatuors nos 1 et 9, le **quatuor Smetana** (Supraphon) a signé une interprétation qui, en un quart de siècle, n'a pas pris une ride, et que l'on peut sans crainte qualifier d'idéale. De l'intégrale en cours du **quatuor Brandis** (Harmonia Mundi), les trois premiers disques, consacrés respectivement aux quatuors nos 1 et 2, n° 15, et nos 3 et 8, donnent la meilleure idée (ampleur, profondeur expressive); mais attendons la suite.

De l'intégrale du **Quartetto Italiano** parue il y a bientôt vingt ans ont été rééditées les quatuors nos 12 à 17, ceux de l'ultime période (4 d. Philips) : respiration large, amplitude dynamique, beauté sonore. Le disque isolé des quatuors nos 12 et 16 par le **quatuor Alban Berg** (EMI microsillon) apparaît moderne et puissant, et dans le même programme, le **quatuor Vermeer** de Chicago, nouvellement arrivé sur la scène, se distingue par sa sobriété et sa précision (Teldec). Pour en rester au 12e quatuor, il faut absolument mentionner la première version du **quatuor Smetana** (avec la *Grande Fugue*), une des références absolues pour cet ouvrage (Supraphon microsillon). Autres références absolues, le 13e quatuor et la *Grande Fugue* enregistrés en 1933-1934 et en 1927 respectivement par le **Quatuor de Budapest** et réédités il y a peu (EMI microsillon) : la *Grande Fugue* s'impose par des sonorités ensorceleuses et des tempi diaboliques, et personne, pas même plus tard le Budapest eux-mêmes, ne devait retrouver la verve et la liberté de cette version du 13e quatuor. Deux autres versions « historiques » à ne pas manquer, pour le 15e quatuor cette fois : celles du **quatuor Busch** (enregistrée en 1937) et du **quatuor Capet** (enregistrée vers 1930). Le quatuor Busch (EMI microsillon), dont il faudrait rééditer tous les enregistrements beethoveniens (quatuors nos 1, 7-9, 11 et 12-16), c'est l'émotion, l'intensité du propos. Le quatuor Capet (EMI microsillon), c'est une interprétation bouleversante dans sa retenue, avec un son rendant d'avance caduques les « conquêtes » ultérieures de la technique.

ŒUVRES POUR ORCHESTRE

Parmi les « pages diverses », il faut signaler sans tarder une intégrale récente du ballet **les Créatures de Prométhée** par l'orchestre de chambre Orpheus (DG). De cette partition de près de soixante-dix minutes, on ne connaît en général que l'ouverture et, à l'exception de celle de Müller-Brühl (Schwann 2 d. microsillon), les versions précédentes comportaient diverses coupures. A signaler aussi la réédition en un seul CD de la musique de scène pour **Egmont** et de **la Victoire de Wellington** (ou **la Bataille de Vittoria**) sous la direction de Karajan, avec en prime quelques marches militaires (DG). Des danses pour orchestre de Beethoven, on ne dispose (dans une réduction d'époque pour deux violons et basse) que des douze menuets WoO 7 et des douze allemandes WoO 8 par l'ensemble Bella Musica de Vienne (Harmonia Mundi).

En ce qui concerne les **5 concertos pour piano,** l'intégrale « de référence » est certainement celle de Wilhelm Backhaus avec la Philharmonie de Vienne dirigée par Hans Schmidt-Isserstedt (3 d. Decca en importation japonaise). Backhaus y voit grand, et, avec lui, les deux concertos de jeunesse regardent vers le XIXe siècle. Dans l'absolu, c'est le 4e qui domine. Cette intégrale est la plus homogène de toutes, la plus sévère aussi. Mais on a beau faire, c'est toujours à elle que l'on revient, d'autant que la prise de son (fin des années 1950) n'a pas une ride. Après celles gravées par lui chez Vox puis avec Haitink (Philips), Alfred Brendel en a réalisé une troisième, avec l'Orchestre symphonique de Chicago conduit par James Levine (3 d. Philips) et en *live* avec applaudissements à la fin de chaque œuvre : des deux dernières, celle avec Haitink apparaît préférable (à la fois plus spontanée et plus réfléchie), et on en trouve des disques isolés, tout comme de celle avec Levine d'ailleurs. La récente intégrale d'Alicia de Larrocha, avec l'Orchestre Radio-Symphonique de Berlin et Riccardo Chailly (3 d. Decca) possède entre autres avantages celui d'offrir en outre **la fantaisie pour piano, chœur et orchestre** opus 80 : on n'aura pas là de révélation bouleversante, mais la satisfaction d'entendre des interprétations équilibrées, une soliste et un orchestre en étroite communion.

Maurizio Pollini a gravé les cinq concertos, d'abord les trois derniers avec Karl Böhm puis les deux premiers avec Jochum, et toujours avec la Philharmonie de Vienne (DG). Le concerto n° 1 n'est jamais apparu aussi impulsif ni aussi net dans ses contours, mais cette seule œuvre pour un CD, c'est bien peu. Le disque contenant les concertos n°s 2 et 4 est splendide, avec un opus 19 projeté vers l'avenir (jeu fascinant d'ombres et de lumières). Autre intégrale, très récente celle-là : Murray Perahia avec l'orchestre du Concertgebouw d'Amsterdam et Bernard Haitink (CBS) : on en retiendra sutout le premier disque, qui contient les concertos n°s 1 et 2, retenus par le soliste dans le XVIIIe siècle (auquel après tout ils appartiennent), ce qui entraîne un certain décalage par rapport à l'orchestre.

Sur un disque bien rempli se trouvent les concertos n°s 1 et 3 par Rudolf Serkin, le n° 1 avec l'Orchestre de Philadelphie et Eugene Ormandy, le n° 3 avec la Philharmonie de New York et Leonard Bernstein (CBS) : versions splendides, dans un « grand style ». Le pendant de ce disque, chez le même éditeur, est celui contenant les concertos n°s 4 et 5, eux aussi par Serkin avec Ormandy-Philadelphie (n° 4) et Bernstein-New York (n° 5). Ces deux disques comptent parmi les plus beaux et les plus précieux actuellement disponibles pour ce répertoire, et il faut bien veiller, en ce qui concerne le concerto n° 5, à acquérir l'édition ci-dessus (avec le n° 4), et non l'édition limitée à ce n° 5, pourtant vendue au même prix, voire plus cher. Espérons que suivront, par Serkin et les mêmes chefs, les opus 19, 56 et 80 en CD. En microsillons, toutes ces interprétations sont heureusement disponibles, avec d'autres et en deux albums économiques de trois disques chacun : album I avec les concertos pour piano n°s 1, 2 et 3, le triple concerto opus 56, la fantaisie opus 80 et la romance opus 40 ; album II avec les concertos pour piano n°s 4 et 5, celui pour violon (par Stern et Barenboim) et la romance opus 50 (au total donc, toute la musique concertante de Beethoven).

Le disque d'Edwin Fischer et de Wilhelm Furtwaengler (à la tête de l'orchestre Philharmonia), tout récemment réédité en CD, est « de référence » depuis plus de trente ans pour le concerto n° 5. Malgré des réussites incontestables, comme celle (déjà citée) de Serkin-Bernstein (CBS) ou celle de Michelangeli-Giulini (DG microsillon), on n'a retrouvé un tel niveau qu'en 1984, grâce à Claudio Arrau et à Colin Davis à la tête de la Staatskapelle de Dresde (Philips). Il s'agit là du premier volet de la seconde intégrale d'Arrau pour Philips (la première était avec Haitink) : disque splendide, montrant qu'à quatre-vingt-trois ans, Arrau avait encore à montrer et à enseigner. Le deuxième volet de l'intégrale existe déjà lui aussi (vision épurée du 4e concerto, avec les variations en *ut* mineur), les autres sont encore à venir.

La **fantaisie pour piano, orchestre et chœur** opus 80 et le **triple concerto pour piano, violon et violoncelle** opus 56 ont été gravés ensemble par des artistes de Leipzig dirigés par Herbert Kegel (Capriccio).

Pour le **concerto pour violon,** on aura garde d'oublier les deux rencontres Menuhin-Furtwaengler, la première en 1947 avec l'Orchestre du festival de Lucerne (EMI microsillon), la seconde en 1953 avec l'orchestre Philharmonia (EMI, avec le concerto de Mendels sohn) : l'une sereine et lumineuse, l'autre plus violente et jubilatoire. On ne négligera ni Perlman-Giulini (EMI) ni Francescatti-Walter, et l'on portera aussi toute son attention sur la gravure historique de 1934 réunissant Bronislaw Huberman et George Szell à la tête de la Philharmonie de Vienne (EMI microsillon).

Pour en arriver aux **symphonies**, dont il serait illusoire de « comparer » les centaines d'enregistrements disponibles, il va de soi que de nombreux mélomanes souhaiteront une intégrale par le même chef. Karajan en a réalisé quatre, la première dans les années 1950 chez EMI, et les trois autres avec la Philharmonie de Berlin chez DG, en 1961-1962, 1975-1977 et 1982-1983 respectivement. Il a gravé en outre quelques versions isolées, dont une (fabuleuse, avec E. Schwarzkopf) de la 9e en 1947 (EMI) et une de la 7e en 1960 (Decca), les deux à Vienne. Les deux dernières intégrales sont disponibles en CD, l'avant-dernière en série économique. On trouve ensemble pour celle de 1975-1977 les symphonies nos 1 et 4, nos 2 et 7, n° 3, nos 5 et 8, n° 6, et enfin n° 9, alors que pour celle de 1982-1983 les symphonies nos 1 et 2, n° 3, nos 4 et 7, nos 5 et 6, n° 8 (et des ouvertures), et n° 9 (six disques dans chaque cas).Les sommets de la troisième intégrale sont la 3e, rapide et tranchante, la 4e, la 5e (somptueuse), la 7e (d'une beauté sonore suffocante), la 8e, et ceux de la quatrième intégrale la 7e, que d'aucuns préféreront à celle de 1975-1977, et la 9e, qui rejoint presque la miraculeuse version viennoise de 1947. Il ne faut pas manquer, bien qu'en microsillon, les 1re, 2e, 8e et surtout 4e de l'intégrale de 1961-1962.

C'est une excellente chose que d'avoir en six CD (CBS) l'intégrale réalisée il y a trente ans par Bruno Walter avec l'orchestre symphonique Columbia (nos 1 et 2, n° 3 et *Coriolan*, nos 4 et 5, n° 6, nos 7 et 8, n° 9). Les symphonies nos 1 à 4 et surtout la 6e sont autant de sommets. Il existe aussi, par Walter, une indispensable 7e de 1951 avec la Philharmonie de New York (CBS importation japonaise).

Bernstein a enregistré deux intégrales, la première avec la Philharmonie de New York (CBS), la deuxième avec la Philharmonie de Vienne (DG). L'intégrale viennoise est dominée par les 5e et 9e, alors que pour celle de New-York, plus incisive, c'est sans doute le disque réunissant les 1re et 2e (avec l'ouverture du *Roi Étienne*) qui s'impose.

Les versions Furtwaengler d'EMI ont été regravées en CD dans des conditions sonores idéales : nos 1 et 4, n° 3, n° 5 (avec l'*Inachevée* de Schubert), n° 6 (ces quatre disques avec la Philharmonie de Vienne), n° 9 (version légendaire prise sur le vif à Bayreuth en 1951). La 7e (de 1950) manque pour le moment, mais on trouve chez DG un CD réunissant les 7e et 8e par Furtwaengler et la Philharmonie de Berlin (enregistrements de 1953 à la rythmique martelée de façon très abrupte). La grandiose 3e avec la Philharmonie de Vienne est des 26 et 27 novembre 1952. Quelques jours après, Furtwaengler dirigeait la même œuvre à Berlin de façon beaucoup plus angoissée, interprétation elle aussi disponible en CD (Bruno Walter Society, avec la *Grande Fugue* version orchestre à cordes). La sombre interprétation viennoise de 1944 existe elle aussi (EMI microsillon). Pour la 5e, on comparera la version viennoise de 1954 (cf. ci-dessus) avec l'interprétation berlinoise de 1937, d'une étonnante rigueur (EMI microsillon). Pour la 9e, on espère une réédition de la version berlinoise de 1942. La version « Londres 1937 » avec la Philharmonie de Berlin est quant à elle un précieux document (EMI microsillon).

Par Toscanini, on écoutera les symphonies nos 1 et 3 avec l'orchestre de la NBC en studio (RCA), et les nos 1 et 4 avec le même orchestre en concerts publics de 1939 (Relief), sans oublier les symphonies nos 1, 4, 6 et 7 (avec les ouvertures de *Prométhée* et de *Léonore I*) avec l'orchestre symphonique de la BBC en des enregistrements de 1937-1939 (2 d. EMI microsillon), ni les symphonies nos 2 et 7 enregistrées en 1951 avec l'orchestre de la NBC (RCA) : de sa précision rythmique, Toscanini tire une variété infinie de couleurs et de nuances.

Il est trop tôt pour se prononcer sur les intégrales entreprises par Claudio Abbado et la Philharmonie de Vienne (DG, avec déjà les 3e et 9e) ou par Bernard Haitink avec l'orchestre du Concertgebouw d'Amsterdam (Philips, avec déjà les 5e et 7e). On notera que l'intégrale Klemperer est disponible en CD, et l'on remarquera, parmi les versions récentes ou récemment regravées en CD, Christopher Hogwood et l'Academy of Ancient Music dans les nos 1 et 2, 3, et 4 et 5 (3 d. isolés Oiseau-Lyre), Christoph von Dohnanyi et l'Orchestre de Cleveland dans la 3e (Telarc), Giulini et l'Orchestre de Los Angeles dans la 5e (DG), Erich Kleiber et le Concertgebouw dans les 5ᵉ et 6ᵉ (Decca, indispensable), Jeffrey Tate et la Staatskapelle de Dresde dans la 7ᵉ (EMI, avec une extraordinaire ouverture *la Consécration de la Maison*), et les 6ᵉ et surtout 9ᵉ (l'une de 1970 et l'autre de 1980) par Böhm et la Philharmonie de Vienne (2 d. DG).

ŒUVRES VOCALES

Les **lieder** sont beaucoup moins bien représentés aux catalogues que jadis. Les deux intégrales de Fischer-Dieskau (DG puis EMI) ont disparu, et on ne trouve plus par lui que le cycle **À la bien-aimée lointaine,** Jörg Demus étant au piano (DG, avec quelques lieder isolés de Beethoven et de Brahms). Le disque de Tilson Thomas joignant au **Roi Étienne** complet diverses pages chorales (CBS) n'existe plus, et **les Ruines d'Athènes,** autre partition pour la scène, manque également.

Discographie importante, au contraire, pour **Fidelio.** Malgré Furtwaengler, c'est la version Klemperer de 1961, tout récemment rééditée en CD (2 d. EMI), qui continue de s'imposer en premier lieu. Klemperer, admirablement secondé par Christa Ludwig, Jon Vickers et autres Gottlob Frick, construit un monument d'une exceptionnelle richesse, son interprétation nous revient dans toute sa splendeur et après une trop longue absence. La version officielle (en studio) de Furtwaengler, avec Martha Mödl, Wolfgang Windgassen et déjà Gottlob Frick en Rocco, date de 1954 (EMI) et n'est pour le moment pas disponible. Elle contient de réelles beautés, sans toutefois l'hallucinante architecture ni les dimensions spirituelles de celle de Klemperer. Les éditions pirates de Furtwaengler sont sans doute préférables, en particulier celle prise sur le vif au Theater-an-der-Wien le 12 octobre 1953, avec les mêmes interprètes que la version officielle (et contrairement à elle les dialogues parlés : on y sent davantage la scène, et elle a bénéficié d'un report en CD (2 d. Fonit-Cetra). La version Karajan de 1970 (2 d. EMI microsillon), avec Helga Dernesch, Jon Vickers et Karl Ridderbusch, irritante parfois, témoigne d'une indiscutable recherche dramatique et même psychologique, et réapparaîtra peut-être en CD. En 1978, Leonard Bernstein (2 d. DG) a réalisé à Vienne, selon son habitude et avec Gundula Janowitz, René Kollo et Manfred Jungwirth, une indiscutable performance sur le plan strictement orchestral tout en privilégiant l'efficacité dramatique par rapport à l'architecture globale. Georg Solti, enfin, a trouvé en 1979 (2 d. Decca) son domaine d'élection dans les grandes scènes chorales et dans les passages orchestraux les plus spectaculaires. La distribution, dominée par Hildegard Behrens et Theo Adam, apparaît inégale.

Le Christ au mont des Oliviers, l'unique oratorio de Beethoven, a bénéficié récemment, après avoir disparu des catalogues, d'une bonne interprétation de Serge Baudo, de divers solistes et des Chœurs de l'Orchestre national de Lyon (Harmonia Mundi). Assez souvent enregistrée mais peu connue, la **Messe en ut** est chantée dans la version Giulini (EMI microsillon) par un superbe quatuor de solistes. En CD, il faut choisir actuellement entre la version Kegel, réalisée à Leipzig (Teldec), pas très personnelle mais puissante, et la version hongroise de Miklos Erdely (Hungaroton), plus recueillie. Il est nécessaire de rééditer en CD la version de 1958 de Beecham (EMI).

La **Missa Solemnis** a été enregistrée par Karajan quatre fois, en 1958 avec E. Schwarzkopf, C. Ludwig, N. Gedda et N. Zaccaria (EMI), puis trois fois avec la Philharmonie de Berlin, en 1966 (DG), 1975 (EMI) et 1985 (DG) respectivement. La version de 1958 n'est actuellement pas disponible, et il en va de même de celle de 1966 (avec G. Janowitz, C. Ludwig, F. Wunderlich et W. Berry). Celle de 1985 ne s'impose pas, bien que la seule des quatre en CD. Celle de 1975 (1 d. EMI microsillon), avec G. Janowitz, A. Baltsa, P. Schreier et J. van Dam, est fort convaincante dans son austérité, son abandon du théâtre au profit du sacré. Leonard Bernstein, avec les Chœurs de la Radio d'Hilversum, l'orchestre du Concertgebouw d'Amsterdam ainsi qu'E. Moser, H. Schwarz, R. Kollo et K. Moll, donne une version grandiose provenant de deux exécutions en public différentes (2 d. DG). Mais comme pour **Fidelio** c'est l'enregistrement de 1966 de Klemperer avec E. Söderström, M. Höffgen, W. Kmentt et M. Talvela, tout récemment réédité en CD, qui s'impose (2 d. EMI) : lui seul parvient à convaincre de bout en bout du caractère sacré de l'œuvre, unifiée ici par un hiératisme dense et même sévère, mais tout à fait fascinant.

Le musée imaginaire...

BEETHOVEN IMPROVISANT CHEZ LE CORDONNIER FRANZ
à Bonn, chez lequel il aimait à fréquenter

Index

Seules les œuvres de Beethoven étudiées ou mentionnées dans le présent ouvrage figurent dans cet index. Seuls les personnages les plus importants dans la vie et l'œuvre figurent à l'index des noms.
Les chiffres en romain renvoient à la première partie du volume, ceux en *italique* à la partie biographique.

Bibliographie restreinte

Ouvrages français ou traduits en français

J. BOYER, *Le « Romantisme » de Beethoven*, Paris, Didier, 1938.

E. BUCHET, *Beethoven. Légendes et vérités*, Paris, Buchet-Chastel, 1966.

E. BUENZOD, *Pouvoirs de Beethoven*, Paris, Corrêa, 1936.

J. CHANTAVOINE, *Beethoven* (vie et œuvre), Paris, 1907 ; id. Plon, 1948 ; *Les Symphonies de Beethoven*, Paris, Melottée, 1932.

E. HERRIOT, *La Vie de Beethoven*, Paris, NRF, 1929.

J. LONCHAMPT, *Les Quatuors de Beethoven. Guide d'audition*, Paris, Fayard, 1987.

J. et B. MASSIN, *Beethoven* (biographie, histoire des œuvres, essai), Paris, Club français du livre, 1955 ; id. Fayard, 1978.

J.-G. PROD'HOMME, *Les Symphonies de Beethoven*, Paris, Delagrave, 1921 ; *Beethoven raconté par ceux qui l'ont vu*, Paris, Stock, 1927 ; *La Jeunesse de Beethoven*, Paris, Delagrave, 1927.

R. ROLLAND, *Beethoven — les Grandes Époques créatrices*, 7 vol. (De l'Héroïque à l'Appassionata — Goethe et Beethoven — Le Chant de la Résurrection — la Neuvième Symphonie — Les Derniers Quatuors — Finita la Comoedia — Les Aimées de Beethoven), Paris, éd. du Sablier, 1930-1949.

M. SOLOMON, *Beethoven* (traduit de l'américain par H. Hildenbrand), Paris, Lattès, 1985 ; Original New York, Shirmer, 1977.

R. WAGNER, *Beethoven*, Paris, Gallimard, 1937.

Ouvrages allemands ou anglais

D. ARNOLD & N. FORTUNE (éd.), *The Beethoven Companion*, Londres, Faber, 1973.

BEETHOVEN-JAHRBUCH (Band I-X), Bonn, Beethovenhaus, 1953-1983...

P. BEKKER, *Beethoven*, Berlin, Schuster & Loeffler, 1912.

M. COOPER, *Beethoven. The Last Decade*, Oxford University Press, 1970 ; id. Paperback 1985.

K. DORFMÜLLER, *Beiträge sur Beethoven-Bibliographie*, München, Henle, 1978.

E. FORBES, *Thayer's Life of Beethoven*, Princeton University Press, Paperback 1973.

T. FRIMMEL, *Beethoven Handbuch*, 2 vol., Leipzig, 1926.

H. GOLDSCHMIDT, *Die Erscheinung Beethoven (Beethoven-Studien I)*, Leipzig, VEB Deutscher Verlag für Musik, 1985 ; *Um die Unsterbliche Geliebte. Eine Bestandsaufnahme* (Beethoven-Studien II). Leipzig, VEB Deutscher Verlag für Musik, 1977.

H. GOLDSCHMIDT (éd.), *Zu Beethoven, Aufsätze und Annotationen*. Berlin, Verlag Neue Musik, 1979. *Zu Beethoven. Aufsätze und Dokumente*. Berlin, Verlag Neue Musik, 1984.

E. GOLDSCHMIDT, K.-H. KÖHLER & K. NIEMANN (éd.), *Beethoven-Kongressbericht Berlin 1977*. Leipzig, VEB Deutscher Verlag für Musik, 1978.

INTERNATIONALER MUSIKWISSENSCHAFTLICHER KONGRESS BONN 1970 *Kongressbericht*, Kassel, Bärenreiter, 1971.

D. JOHNSON, A. TYSON & R. WINTER, *The Beethoven Sketchbooks (History, Reconstruction, Inventory)*, Oxford, Clarendon Press, 1985.

J. KERMAN & A. TYSON, *The New Grove Beethoven*, Londres, MacMillan, 1983.

F. KERST, *Die Erinnerungen an Beethoven*, 2 vol., Stuttgart, 1913.

G. KINSKY & H. HALM, *Das Werk Ludwig van Beethovens. Thematisch-bibliographisches Verzeichnis*, München, Henle, 1955.

R. KLEIN (éd.), *Beethoven-Kolloquium 1977*, Kassel, Bärenreiter, 1978.

K.-H. KÖHLER & G. HERRE (éd.), *Ludwig van Beethovens Konversationshefte*, huit volumes parus (vol. 1-8) sur douze prévus, Leipzig, VEB Deutscher Verlag für Musik, 1968-1983...

P.-H. LANG (éd.), *The Creative World of Beethoven*, New York, Norton, 1971.

L. LOCKWOOD & P. BENJAMIN (éd.), *Beethoven Essays. Studies in Honor of Elliot Forbes*, Harvard University Press, 1984.

G. NOTTEBOHM, *Beethoveniana. Zweite Beethoveniana*, Leipzig, 1872 et 1887.

E. SCHENK (éd.), *Beethoven-Studien. Festgabe zum 200. Geburtstag von Ludwig van Beethoven*, Vienne, Kommissionsverlag der Oesterreichischen Akademie der Wissenschaften, 1970 ; *Beethoven-Symposion Wien 1970*, id. 1971.

A. TYSON (éd.), *Beethoven Studies (1-3)*, n° 1 New York, Norton ou Londres, Oxford University Press, 1973-1974 ; n° 2 Londres, Oxford University Press, 1977 ; n° 3 Cambridge University Press, 1982.

VERÖFFENTLICHUNGEN DES BEETHOVENHAUSES IN BONN (Publications de la Beethovenhaus à Bonn), Band I-X, Bonn, Beethovenhaus, 1964-1987...

R. WINTER & B. CARR (éd.), *Beethoven, Performers and Critics*, Wayne State University Press, Detroit, 1980.

C. WOLFF (éd.), *The String Quartets of Haydn, Mozart and Beethoven*, Harvard University Press, 1980.

La correspondance de Beethoven

L'édition jusqu'ici la plus complète est ANDERSON (E.) (trad. et éd.), *The Letters of Beethoven*, Londres, 1961. Une première édition critique complète et dans les langues originales est prévue pour 1989. Est paru isolément, pour donner une idée des principes d'édition : BEETHOVEN-HAUS, (éd.), *Ludwig van Beethoven. Der Briefwechsel mit dem Verlag Schott*, München, Henle, 1985.

M. V.

Illustrations

203255

ACHEVÉ D'IMPRIMER EN 1988 PAR L'IMPRIMERIE TARDY QUERCY S.A. - BOURGES
D.L. 2ᵉ TRIM. 1963 - N° 1425-9 (14124)